D1373936

VOYAGE
EN FLORIDE

ARTHAUD

Carole Chester

Texte de Carole Chester
Faune et nature en Floride de Paul Sterry

Traduit de l'anglais par Françoise Huet

©The Automobile Association, 1990.
©Cartes The Automobile Association, 1990.
©Les Editions Arthaud, Paris, 1991 pour la traduction et l'adaptation en langue française.

Photogravure : Avonset, Midsomer Northon, Bath ; LC Repro Aldermaston
Impression : Imprimerie S.R.L., Trente, Italie

ISBN 2-7003-0885-9

Crédits photographiques

J. ALLAN CASH PHOTOLIBRARY 14, 16, 21, 22, 30-31, 39, 41, 45, 59, 62-63, 72, 76, 84, 86/87, 89, 89, 92/93, 95, 112.

INTERNATIONAL PHOTOBANK 4, 9, 18, 35, 47, 48, 52, 55, 56-57, 61, 64, 69, 80, 101, 116.

NATURE PHOTOGRAPHERS LTD 104, 107, 109 (Paul Sterry).

SPECTRUM COLOUR LIBRARY 6, 7, 25, 33, 36, 51, 53, 70/71, 79, 82, 94, 100, 102/103, 110, 120, 125.

ZEFA PICTURE LIBRARY UL LTD 12, 27, 29, 81, 96-97, 98-99.

Photo de couverture : Palm Beach ; J. Stock/Magnum

Les signes suivants, utilisés au fil de ce guide, vous aideront à établir votre itinéraire :

◆ ◆ ◆ Ne pas manquer
◆ ◆   A voir si possible
◆   Si vous avez le temps

Un aspect de la magie de la Floride : une promenade dans le « Magic Kingdom » du parc à thèmes de Disney World

INTRODUCTION

La Floride a de multiples facettes : les plages, les quartiers cubain et espagnol de Miami, la riche Palm Beach, les Keys, les douceurs de la côte ouest et Orlando.

Trois grands pôles d'attraction pour les touristes : le climat, les parcs à thèmes et les prix. La chaleur, quelquefois étouffante, fait venir des millions de gens pour des vacances ou leur retraite. Une pléthore de parcs d'attractions familiaux (Disney World est peut-être le plus connu) en font l'État favori des touristes. La Floride possède aussi les tarifs de location de voitures les plus bas de tous les États-Unis — un élément qui a facilité le développement de toute une série d'inclusions touristiques, avec entre autres des programmes de vol + auto.

La Floride, État du Sud, est toujours demeurée hors du Sud profond. On y découvrira une ville touristique qui, depuis des décennies, accueille des artistes de premier ordre dans les clubs des hôtels chics, sous l'égide de l'opulent « Jet set » — le tout sans casinos.

On y trouve des îles bordées de plages, aimées des artistes, des écrivains, des pêcheurs et des amateurs de bateau. Et elle recèle une bande de terre restée sauvage et inexplorée jusqu'au milieu du XIXe siècle.

On connaît bien les deux portes d'entrée internationale de la Floride, mais peu de visiteurs étrangers réalisent que cet État comporte plusieurs régions. Le Nord-Est historique contient de nombreux parcs nationaux, quelques aires de jeux aménagées et une forêt nationale. Fleuves et lacs y sont innombrables et une plage a été rendue célèbre par les courses automobiles. Les courses sont aussi un des attraits du centre de la côte Est, qui a donné naissance au Kennedy Space Center.

Le Sud-Est constitue la côte d'or, la riviera américaine où ont fleuri stations balnéaires luxueuses et marinas, même si cette bande côtière de 320 km possède aussi deux parcs nationaux et de nombreux parcs d'État.

Au cœur de l'État, règnent la variété et l'aventure. C'est le pays des fruits, des lacs, du bétail, des chevaux et des loisirs. Les Pinellas, lieu de villégiature sur la ceinture côtière ouest ne comptent pas moins de 12 parcs de loisirs et une forêt d'État. Enfin, le Nord-Est possède le Panhandle, une étroite bande de sable et de marais salants où poussent les chênes moussus.

La Floride est un point de départ pour les Caraïbes, par avion ou à bord d'un croiseur de luxe, mais à l'intérieur de l'État, c'est la voiture qui a la faveur. Il y a des possibilités d'hébergement pour tous les budgets, depuis les hôtels chers où le simple coup d'œil coûte un dollar, en passant par les appartements ou villas de location près des plages ou des terrains de golf, aux auberges banales.

C'est l'État du soleil, où l'on a développé la vie de plein air pour le plus grand plaisir du concepteur de vacances. D'immenses complexes hôteliers, avec de nombreux terrains de golf, des parcours équestres, des greyhounds et des voitures, des bateaux-hôtels, des yachts et canoës se sont développés pour accueillir le touriste. En Floride, on peut admirer le paysage, pratiquer tous les sports ou simplement se détendre.

INTRODUCTION

Si le rythme s'accélère quelque peu, c'est à *Disney World* et au centre voisin d'*EPCOT*, encore en construction, qui offrent des possibilités qu'une semaine entière n'épuise pas.

On vient d'ouvrir officiellement les nouveaux studios Disney-MGM, et la section thématique accessible au public permet d'assister à une bonne partie de la production. Les visiteurs peuvent observer le travail et voir à l'œuvre les corps de métiers de la postproduction, habilleuses et départements d'animation. Mais la Floride n'est pas faite que de plages et de parcs à thèmes — c'est la nature qui domine dans de vastes régions vierges : les Everglades est la plus connue, mais il y en a beaucoup d'autres. Alors, pour retrouver la nature, ou seulement voir un alligator, allez donc en Floride. Juan Ponce de Leon, le gouverneur espagnol de Porto-Rico, vint y rechercher en 1513 la fameuse fontaine de jouvence. Il ne la découvrit pas au XVIe siècle ; peut-être, s'il revenait aujourd'hui, prononcerait-il l'équivalent espagnol d'Euréka !

Le Spaceship Earth à EPCOT emmène les visiteurs pour un voyage dans le temps

HISTORIQUE

L'on remarque immédiatement, sur une carte, les très nombreux noms de lieux indiens. On pense d'ailleurs que Miami est un dérivé des mots indiens *maiha* (qui signifie très grand) et *mih* (c'est ainsi), dont viendraient les noms *Aymai* ou *Mayami* sur les cartes des Espagnols au XVIIe siècle. Du temps des explorateurs espagnols, il y avait environ 10 000 Indiens indigènes en Floride, répartis en quatre tribus : les Timucuans et les Apaches, qui vivaient sur les terres du Centre et du Nord, les Calusa et les Mayimi, plus belliqueux, dans le Sud. Mais ce sont les Séminoles (un nom qui signifie « fuyards ») qui sont les plus célèbres Indiens en Floride : originaires de Géorgie, ils se séparèrent de leur tribu et envahirent cette région.

Leurs rangs étaient renforcés par les esclaves en fuite, et au XVIIIe siècle, ils formaient une fédération puissante qui occupait quelques-unes des meilleures terres de l'intérieur. Ils causèrent peu de difficultés aux colons britanniques, car les administrateurs anglais leur avaient offert des concessions, mais, quand la Floride fut rendue à l'Espagne après la guerre révolutionnaire, il y eut de nombreuses escarmouches. Lorsque les Américains revendiquèrent la terre pour eux, les attentats violents se firent plus sanglants, surtout quand on tenta de déplacer les Indiens vers l'Ouest du Mississipi. Rapidement, les « incidents » se transformèrent en guerres.

Le Grand Esprit, un rappel de l'histoire indienne dans le Miami moderne

Les guerres séminoles durèrent sept ans et coûtèrent beaucoup, financièrement et en vies humaines. Les chefs indiens combattaient courageusement, mais leur seule récompense ne vint que des années plus tard, quand on baptisa de leurs noms certains lieux : *Osceola*, par exemple, est aujourd'hui le nom d'une forêt nationale. Les Indiens qui ne furent ni capturés, tués ou refoulés vers l'Ouest, s'enfoncèrent plus profondément dans l'intérieur, dans les Everglades d'aujourd'hui. Leurs descendants vivent encore dans une ou deux tribus locales. Dans le passé, la Floride fut, comme ses voisins du Sud, un

État acheteur d'esclaves, fier de ses plantations de coton et de canne à sucre ; en 1860, le coton était la base de l'économie de l'État.

Quand la Floride et ses voisins firent sécession de l'Union, elle devint le ravitailleur principal de l'armée sudiste. Mais il reste peu de l'ancienne mentalité du Sud. Le développement du tourisme, grâce au climat et au chemin de fer, constitue l'événement le plus remarquable. Ce sont deux investisseurs qui voyaient loin, Flager et Plant, qui, dans les années 1880, pavèrent la route de ce qui allait devenir l'État des vacances toute l'année. Henry Flager construisit le premier hôtel de Palm Beach — le Royal Poinciana, bientôt subventionné par d'opulentes sociétés de l'Est convaincues du potentiel touristique du site. La suite prouva qu'il avait raison : Palm Beach reste une oasis de luxe sur la côte Est de la Floride. Alors que Flager s'occupait de ce côté de la côte, Henry Plant comprit le potentiel de l'ouest et fit édifier à Tampa le Tampa Bay Hotel. Mais ce n'est qu'en 1897 que Miami eut les moyens d'ouvrir un hôtel de luxe, le Royal Palm, qui coûta un million de dollars à une époque où Miami Beach n'était encore qu'une île marécageuse.

On manque souvent de certitudes dans le domaine de l'histoire américaine, et la Floride est un bon exemple de ce phénomène. On pense que les Espagnols l'ont découverte au XVIe siècle, mais elle ne fut pas développée avant plusieurs décades. Ainsi, ce n'est qu'après la première guerre mondiale que le secteur immobilier prit tout son essor. Naturellement, la rumeur des profits faciles et de la fortune attira rapidement les spéculateurs. Entre 1920 et 1930, la population quadrupla, enregistrant une croissance plus rapide que dans tout autre État. En une nuit, un terrain bon marché prenait de la valeur et des pauvres devenaient millionnaires. La dépression mit fin à tout cela, mais la Floride s'en remit dans les années 30, avec les premiers moulins à papier et la meilleure distribution des végétaux que permit leur réfrigération. Les fermes s'industrialisèrent et on réglementa la production des agrumes. La construction reprit, et la Floride devint la destination de vacances par excellence. La renommée internationale est beaucoup plus récente ; on la doit à des gens comme Disney ainsi qu'à certains rénovateurs qui ont ranimé des endroits comme l'Art Deco District à Miami-Beach et l'Ybor City District à Tampa. On peut remercier également les compagnies aériennes qui ont offert l'alternative de Tampa et révélé ainsi des régions encore inconnues récemment. De nos jours, il n'est plus nécessaire d'explorer les Caraïbes pour découvrir une île bordée de sable fin où le soleil est chaud et la mer bleue. Le *Sunshine State* (l'État du soleil) n'est pas parfait — il pleut même de temps en temps — mais c'est un endroit merveilleux pour passer de bons moments.

MIAMI

Miami est la ville des palmiers, du sable chaud et des mers bleues ; mais c'est aussi une ville cosmopolite.

Elle possède des restaurants en front de mer, des marinas, des hôtels pastels, une promenade, des boutiques, des musées, un centre artistique, et des embouteillages.

C'est une destination de vacances et d'affaires, avec une végétation subtropicale et une clientèle internationale. Miami est la porte d'entrée la plus sophistiquée de la Floride.

De modestes débuts

Le nom de Miami regroupe plusieurs réalités : Miami-Downtown (centre ville), Miami-Beach (la plage), des communes voisines comme Coral Gables et l'île de Key Biscayne. Pour comprendre la disposition des lieux, il faut connaître le développement de Miami. C'est une femme de tête, du nom de Julia Tuttle, qui envoya à Henry Flager des agrumes non gelés de Biscayne Bay alors que le grand froid de 1894 avait détruit presque toutes les récoltes d'agrumes et de légumes de Floride. Elle essayait de le convaincre d'amener le chemin de fer au sud de Palm Beach en démontrant que le climat y était plus favorable. Elle y parvint, et dès 1896, la liaison par rail acheminait voyageurs et marchandises. Miami devint une ville. Vers 1899, l'ancien terrain de parade des troupes était devenu un terrain de golf ; l'électricité et le téléphone furent installés et on creusa le port pour permettre aux bateaux de gros gabarit d'y pénétrer.

Miami-Beach, 16 km de sable blanc le long de l'Atlantique

MIAMI

Miami Beach, par ailleurs, était le rêve de l'horticulteur John Collins. Il se lança dans la culture des fruits et creusa un canal d'Indian Creek à la baie de Biscayne pour établir une voie de transport. Après l'échec de ce projet, il essaya d'implanter une commune résidentielle et mit en chantier un pont qui enjambait la baie. En 1913, la première liaison efficace, un pont de bois de trois kilomètres, reliait les deux communes grandissantes. On ne pouvait plus reculer. Malgré les dégâts des ouragans, le boom immobilier se précipitait. Dans les années 20, la Floride était le lieu où tout le monde voulait venir. Le poète George Merrick dessina Coral Gables ; on ouvrit le champ de courses de Hialeah, on construisit des hôtels ; on inaugura une nouvelle ligne aérienne. Malgré cela, il fallut attendre les années 40 pour

que les digues routières, y compris celle qui relie Rickenbacker à Key Biscayne, commencent à parcourir Biscayne Bay.

Se déplacer en ville

Miami, aujourd'hui, est facile d'accès pour les voyageurs de l'intérieur ou de l'extérieur des États-Unis. Un aéroport international accueille 20 millions de passagers par an ; desservi par plus de 40 compagnies internationales, il est situé à 15 minutes en voiture de Miami-Downtown et à 25 de Miami-Beach. Le Grand Miami et les plages s'étendent sur plus de 500 000 hectares — c'est-à-dire deux fois la taille de Rhodes Island, mais les transports sont efficaces. Mieux vaut louer une voiture, car les attractions sont dispersées loin autour de Miami. (Les communes sont reliées par de grandes artères et des digues). Miami possède aussi un réseau de métrorail qui fonctionne du sud de Dadeland Mall à Miami-Downtown et Northwest Dade County et permet une correspondance avec le métro aérien (Metromover) dans Miami-Downtown.

Le port de Miami est capable d'accueillir les bateaux de croisière les plus récents — jusqu'à 14 en même temps, et en fait passer jusqu'à 3 à la fois. Accès au port par le pont du Bayfront Park, à partir de Biscayne Boulevard. Service de bus régulier dans le centre ville.

Que regarder ?

Partout dans la ville, se dres-sent de nouveaux immeubles de bureaux et des grands hôtels, et les plans de développement sont incessants. La ville ne semble pas pouvoir s'arrêter de grandir et de se remodeler, avec plus de parcs, plus de centres d'arts et de zones commerçantes. Mais bien que Miami soit devenue un centre de finances et d'affaires international, elle a su préserver son attrait touristique. On a gardé l'aménagement en parc d'un espace constructible le long de la baie de Biscayne ; le Bayfront Park offre un répit ombragé à l'agitation urbaine où de grandes figures de l'histoire sont à l'honneur. C'est le site où brûle en permanence la torche du Kennedy Memorial Torch of Friendship. De là, on peut admirer les bateaux étincelants au soleil en se promenant sur la Riverwalk. Ou bien l'on peut flâner dans les boutiques du tout récent Bayside Speciality Center et sur la place du marché. Au nord, le Bicentennial Park fait face au Biscayne Boulevard, on peut y pêcher, faire du vélo et piqueniquer. Dans le Jose Marti Park, aux immeubles roses de style méditerranéen, on peut se promener le long de Miami River, y nager ou simplement se détendre.

La ligne d'horizon toujours changeante de Miami vaut aussi que l'on s'y attarde : d'immenses immeubles comme le Southeast Financial Center de 55 étages et la Centrust Office Tower de 47 étages surplombent la baie. Les banques et les condominiums géants s'alignent le long de

En moins d'un siècle, Miami est devenue un important centre économique

Brickell Avenue — certains possèdent des cages d'escaliers circulaires, des vérandas et des palmiers ; d'autres ont aménagé leur toit en solarium, d'autres encore sont peints des couleurs de l'arc en ciel.

Si le centre ville a investi dans l'avenir, Miami-Beach n'est pas en reste, avec plus de 16 km le long de l'Atlantique et une largeur équivalente à la longueur d'un terrain de football. Après une période de crise, elle est à nouveau l'une des plus belles côtes des États-Unis. La Beachfront Promenade, un chemin aménagé de 3 km entre la 21e et la 46e rue montrera de quoi on parle.

La marina de Miami est l'un des meilleurs endroits pour toutes sortes d'activités nautiques. L'on y trouve des bateaux pour plonger, des canots à voile, des bateaux à moteur et des bateaux de pêche, des bateaux de promenade à fond de verre, etc. C'est un endroit où l'on peut rêver devant les bateaux de croisière ; ou assister à un concert dans le South Pointe Park, où l'on peut également participer à des promenades en jet, des visites d'exploration, des pavillons de pique-nique et, pour les plus énergiques, des parcours de mise en forme.

Tout à Miami semble neuf ou

rénové. Les hôtels de Collins Avenue, devenus légendaires dans les années 50, viennent de trouver un nouvel éclat après leur rénovation pour s'adapter aux besoins du voyageur des années 90. L'Art Deco District, à l'extrémité sud de la plage, a retrouvé toute sa gloire, et les hôtels des années 30 vivent leur renaissance grâce à un effort de rénovation.

Bien que les résidents se réfèrent toujours à *la* plage, celles-ci sont en fait nombreuses et ont pris les noms des communes qu'elles bordent. Surfside, par exemple, est enclavée entre Miami Beach au sud et Bal Harbour au nord. L'hébergement peut y être moins cher mais la commune de Surfside, qui s'étend sur 1,6 km le long de cette plage, possède une zone de boutiques et de restaurants bordée de fleurs et de palmiers le long de Harding Avenue. Bal Harbour, avec autant de boutiques que Rodeo Drive à Beverly Hills, est plus prestigieux, malgré ses dimensions plus modestes. Au nord de l'Haulover Park, une station balnéaire de 4,8 km de plage de sable blanc s'est donné pour nom Sunny Isles, et possède son propre parc d'attractions, des activités de plein air, des hôtels et des zones commerçantes. Le Grand Miami est décidément international, comme on ne peut manquer de s'en apercevoir en découvrant les paysages, dînant ou participant aux myriades de festivités organisées tout le long de l'année. Les Bahamiens qui ont participé à l'installation du village de Coconut Grove y organisent le Goombay Festival en juin. En mars, la Little Havana accueille son propre festival hispanique — un carnaval de Rio en miniature. Les Haïtiens aussi ont ajouté leurs traditions au melting pot de Miami, ainsi que les Allemands (Oktoberfest) et les Italiens (foire de la Renaissance) (voir **Festivals et autres manifestations**, pages 117-118).

VISITE

◆
AMELIA EARHART PARK
119e Street et Lejeune Road.
Un nouveau parc à thèmes agricole qui a pris le nom de la célèbre aviatrice qui a fait son dernier décollage de Miami. Pour se détendre.

◆
ARCH CREEK PARK
NE, 135e Street et Biscayne Boulevard
Un musée inhabituel dans le nord de Miami, artefacts des Indiens Tequesta datant de la préhistoire et os de mastodontes. Animaux vivants et expositions vertes ; visites dans la nature presque tous les jours. Entrée libre.

◆ ◆ ◆
ART DECO DISTRICT
de la 6e à la 23e Street, entre Jefferson Avenue et Miami Beach
La seule zone historique nationale qui date du XXe siècle. Environ 800 maisons dans le style et les couleurs de l'art déco y ont été construites dans les an-

Les hôtels art déco de Miami ont été restaurés dans leur splendeur des années 30

nées 30. Il y a 10 ans, ce quartier de Miami Beach voisinait encore avec les hôtels fatigués sans night-clubs et aux restaurants banals. Mais en 1986, 14 hôtels ont ouverts leurs portes dans la splendeur retrouvée de stupéfiantes terrasses, de portes d'ascenseurs grandioses et de murs couverts de miroirs. Parmi les « monuments » de l'époque, le Cardozo (70 chambres), qui date de 1939 et a été utilisé dans les années 50 pour le film de Frank Sinatra *A Hole in the Head*.

Le visiteur d'aujourd'hui découvre des marchés en plein air, des marchands de delicatessen, de savoureuses boulangeries et des cafés latins. Le Leslie Hotel et son café SoBe, le long d'Ocean Drive, sont entièrement restaurés ; la foule s'entasse à nouveau au grill de l'hôtel Carlyle et sur la fameuse terrasse des tours Waldorf, ainsi qu'au rendez-vous célèbre du Breakwater Hotel, Gerry's place. Ce quartier où l'on ne se serait pas aventuré un soir de sortie il y a quelques années offre maintenant l'embarras du choix. L'Ovo Night Club, par exemple, au coin de l'Espanola Way et de Collins Avenue, ancien siège de la Warsaw Ballroom, propose maintenant de la cuisine fine et une discothèque moderne. L'ancien cinéma de Washington Avenue, haut lieu de l'art déco autrefois, a bénéficié d'une rénovation adroite et a trouvé une seconde jeunesse sous le nom de Club 1235. La Lincoln Road a été transformée en zone piétonnière et commerçante et le vieux Colony Theater, vitrine de la Paramount Pictures dans les années 30, est maintenant un centre moderne d'arts du spectacle. L'Espanola Way, vestige de l'époque héroïque des thèmes fantastiques, a repris son aspect initial de village espagnol. On lui a récemment ajouté une promenade en bord de mer et des espaces paysagers.

L'art déco est un style architectural né après la première guerre mondiale. Il fit ses débuts à Paris en 1925, mais c'est en 1933 que l'Amérique le découvrit à la foire internationale de Chicago. La ligue pour la protection du patrimoine architectural de Miami propose des visites de ce quartier le samedi matin à un prix raisonnable, mais on peut très bien en découvrir seul les charmes. Des manifestations particulières ont souvent lieu dans le voisinage, comme le week-end art déco annuel en janvier (voir **Festivals et autres manifestations**, pages 117-118).

♦
BASS MUSEUM
Park Avenue, Miami Beach
Cette ancienne bibliothèque transformée en galerie d'art abrite une collection permanente d'œuvres médiévales, Renaissance, baroques et rococo ; des Rubens, des Lautrec et des Van Haarlem.

♦ ♦
BAYFRONT PARK
Miami Downtown
Ce parc sur la baie a récemment fait l'objet de grands travaux : on a construit un amphi-théâtre de 20 000 places. Des panoramas, des pavillons de pique-nique, un café et un restaurant ajoutent à l'attrait des grands espaces verts. Le parc comporte depuis peu un ensemble de commerces et de restaurants le long de la marina. Des magiciens, des musiciens ambulants et des mimes s'y produisent régulièrement.

♦ ♦ ♦
CALLE OCHO
SO 8e Street
Cette bande d'une longueur de 30 blocs se surnomme « Little Havana » et il est indéniable qu'elle reflète la culture cubaine. Y goûter (même le dimanche) les délicieuses pâtisseries, le café noir sucré, la cuisine latine et y acheter des cigares dans les fabriques de petits cigares où l'on peut voir le produit final roulé à la main. Le quartier latin voisin est l'équivalent du quartier français de New Orleans : boutiques et restaurants, baquets de fleurs et musiciens ambulants ; il s'étend jusqu'à la 7e rue et la 17e avenue. Toujours de la fiesta dans l'air le long de Calle Ocho (8e rue en espagnol) mais jamais plus qu'en mars quand la communauté hispanique invite tout le monde à une fête de rue.

♦
CASTLE PARK
NO 8e Street
Parc familial avec un mini-golf à 18 trous, des chaises pliantes, une halle de jeux vidéos et des jets d'eau. Frais d'admission pour chaque attraction.

◆
CAULEY SQUARE
22400 Old Dixie Highway, Goulds

Ce village historique de 5 hectares est un exemple typique du style architectural espagnol des années 20. Le complexe de deux étages — un bâtiment aux murs épais de stuc et de corail — abrite maintenant quantité de galeries d'art et de boutiques d'artisanat. Un glacier et une salle des fêtes pour les enfants. Pour flâner surtout. Des festivals annuels en mars, juillet et novembre qui mettent en lumière l'artisanat et les spécialités régionales.

◆ ◆ ◆
COCONUT GROVE
Bird Road (au nord), Le Jeune (à l'ouest), Biscayne Bay (à l'est) et Edgwater Driver (au sud)

Une réplique à la mode de Greenwich Village à New York, de Sausalito à San Francisco ou de Georgetown à Washington. Seulement à 10 minutes en voiture du centre-ville, Grove est célèbre pour ses boutiques élégantes, ses restaurants et ses hôtels. Mais ce que l'on connaît le mieux est peut-être la Playhouse, un ancien cinéma devenu le siège de la compagnie théâtrale professionnelle du Sud de la Floride. Le quartier est animé et chic, a mérité le qualificatif d'« européen » avec ses terrasses de cafés, ses petits bistrots et ses artistes de trottoir. Les amateurs de shopping visiteront Mayfair-in-the-Grove, le Main Highway, Fuller Street, Grand Avenue et Commodore Plaza... Les sonorités de jazz, de country, de western ou de reggae des night-clubs viennent jusque dans les ruelles et sous les arcades... une promenade s'impose. Celle-ci est d'ailleurs le meilleur moyen de découvrir Grove mais on peut aussi prendre le Grove Tram qui parcourt les rues du village les après-midi de week-ends en hiver. Navette quotidienne entre la station de métrorail Grove et les hôtels et attractions.

Le **Barnacle** sur le Main Highway mérite aussi une visite. C'est la maison où Ralph Middleton Munroe, un des premiers pionniers dans la région, passa son enfance ; elle a été transformée en musée et site historique d'État ; abords magnifiquement dessinés et droit d'entrée très bon marché.

Dans cette zone également, **Vizcaya** et le **Museum of**

Splendeur italianisante dans la loggia orientale de la Maison Vizcaya

Science and Space Transit Planetarium (voir ci-dessous). Coconut Grove est une commune animée à multiples facettes qui donne toute sa mesure pendant les festivals. Le festival des arts (trois jours en février) fait descendre les foules dans les rues pour voir travailler les artisans et goûter les confiseries. Le Goombay festival, en juin, célèbre les Bahamas et le King Mango Strut, en décembre, est une bombance à tous crins.

On ne néglige pas non plus le sport ; à la Dinner Key Marina, sur la baie, on peut louer des canots à voile, des windsurfers ou des bateaux de pêche. Cette key fut la base et le terminal d'amérissage de la Pan Am et était particulièrement active dans les années 30 et 40.

♦
CORAL CASTLE
Un entassement de roches très étrange mais fascinant, construit par un émigrant letton pour une femme qui l'abandonna à la veille des noces. Il a extrait seul, et à la main, 1 000 tonnes de corail pour construire le mobilier extérieur et les bains chauffés par le soleil. A 40 km au sud de Miami par l'US1.

♦♦
CORAL GABLES
Une commune résidentielle élégante dessinée par George Merrick dans les années 20 dans le style méditerranéen. Par les portails de corail, on peut entrevoir quelques-unes des propriétés les plus fastueuses de Miami. Les normes architecturales sont strictement contrôlées pour protéger la beauté de ce quartier de jardins, et les boulevards, abrités par les bananiers feuillus, les palmiers et les poincianes soigneusement entretenus.

L'université de Miami y a été bâtie, et le campus joue un rôle dynamique aux Gables. Un bon théâtre, une cuisine raffinée dans des restaurants qui reflètent bien la dimension internationale de la ville, ainsi que quantité de boutiques intéressantes, en particulier celles qui longent le célèbre « Miracle Mile ». Possibilité d'excursions en bus, mais il est tout aussi facile de suivre soi-même la « visite guidée » de 32 km préparée par la municipalité ; les cartes sont gratuites. Si vous choisissez cette solution, commencer à la porte des Gables, **La Puerta del Sol**. Merrick érigea ce clocher de 27 m et l'arche de 12 m et les fit figurer au registre national des monuments historiques. Parmi les attractions, la maison où Merrick passa son enfance, **Coral Gables House**, qui a donné son nom à la ville ; elle a été construite en 1898 avec du charbon d'extraction locale ; les meubles de la famille Merrick s'y trouvent encore. Une autre merveille de Coral Gables est la **Venetian Pool**. Ce lagon naturel est un bassin alimenté naturellement par une source creusée dans le corail en 1923 et entourée de palmiers, d'îles, de grottes, de chutes d'eau et de ponts arqués. Très apprécié en été par les enfants.

Les Gables ne manquent pas

de musées. Le **Lowe Art Museum**, sur le campus de l'Université, est le plus ancien du comté pour les arts visuels et se distingue par la collection de maîtres anciens rassemblée par Kress. Voir également les collections d'art indien d'Amérique du Sud-Ouest.

Le **Metropolitan Museum & Art Center** se situe à l'extrémité du Biltmore Country Club (un ancien grand hôtel récemment restauré, construit par Merrick sur le modèle de la cathédrale de Séville). Pendant l'année, le musée accueille de nombreuses expositions temporaires, des conférences, des concerts et des films. Collections permanentes d'œuvres d'art d'Amérique latine et d'Orient, de photographies et de costumes historiques.

Aller aussi aux **Fairchild Gardens** (voir ci-dessous) ; un moyen original pour les visiter est de louer une bicyclette et de longer les rues ombragées du bas de l'*Old Cutler Road* vers le *Matheson Hammock County Park*. Coral Gables est proche de Miami-Downtown.

♦
CUBAN MUSEUM OF ARTS & CULTURE
SO 12ᵉ Avenue
L'influence cubaine est très forte à Miami, et ce musée témoigne de cet héritage culturel ; expositions d'artistes hispaniques traditionnels et contemporains et memorabilia. Concerts, conférences et films.

♦ ♦ ♦
CULTURAL CENTER COMPLEX
Flager Street
Par temps maussade, ce complexe au cœur de la ville pourrait être l'endroit à visiter. De style méditerranéen, autour d'une plaza de 4 m sur la rue Flager, il comprend une bibliothèque et deux musées. Accès au **Center for the Fine Arts** par un chemin couvert à partir de la plaza centrale. En plus d'un auditorium et d'un espace d'expositions, deux étages de galeries et une halle de sculpture où se trouve *Le Grand Cheval* de Raymond Duchamp-Villon.

A l'**Historical Museum of Southern Florida**, des expositions retracent 10 000 ans d'histoire de l'humanité dans la région, avec des lettres et documents authentiques des fondateurs de Miami : H. Flager, C. Fisher et G. Merrick.

Une éclatante fleur d'oiseau de paradis dans les Fairchild Tropical Gardens

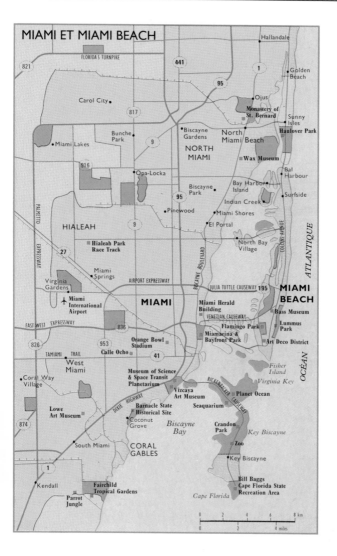

MIAMI ET MIAMI BEACH

◆
DAVID KENNEDY PARK
South Bayshore Drive et Kirk Street, Coconut Grove

Populaire parmi les amateurs de jogging et de vita course, terrain de golf frisbee pour s'amuser.

◆ ◆
FAIRCHILD TROPICAL GARDENS
Old Cutler Road, Coral Gables
Étape favorite sur beaucoup d'itinéraires, ces jardins ont la réputation de renfermer la plus grande variété botanique subtropicale, avec plus de 40 hectares de plantes exotiques. On peut suivre les divers sentiers qui s'enfoncent dans une forêt, dans Vine Pergola, Sunken Garden, Palm Glade et Rare Plant House, autour des huit lacs ou bien opter pour une des visites guidées en tram. Entrée gratuite pour les enfants de moins de 13 ans accompagnant leurs parents.

◆
FLAMINGO PARK
1000, 12e Street, Miami Beach
Pour les amoureux de tennis. Complexe comportant des courts de terre battue ou en quick, dont beaucoup sont éclairés la nuit, tournois fréquents au stade de 5 000 places Abel Holtz.
Une piscine.

◆
FREEDOM TOWER
600 Biscayne Boulevard
Inspirée de la tour Giralda en Espagne, cette structure fut construite en 1925 pour abriter le Miami Daily News. En 1960, elle changea de nom et devint le Centre d'Accueil pour les Réfugiés Cubains.

◆
FRUIT AND SPICE PARK
Un parc botanique hors du commun rassemblant des fruits et des épices du monde entier

— plus de 200 espèces et de 500 variétés sur 10 hectares. Jardin d'herbes et de légumes particulièrement intéressant. Entrée gratuite mais droit modique pour une visite guidée. A 56 km au sud-ouest de Miami par l'US1.

◆
HAULOVER PARK
10800 Collins Avenue
Grand parc récréatif populaire pour le surf, port de pêche et marina où on peut louer des bateaux. Terrain de golf à neuf trous.

◆ ◆ ◆
HIALEAH
Okeechobee Road.
Le canal de Miami sépare cette commune sportive de sa jumelle, Miami Springs. Le circuit de course de Hialeah en est l'un des attraits les plus importants, bien que les gens aiment à visiter le parc en dehors de la saison des courses pour admirer les superbes espaces paysagers. Un aquarium, une volière et une colonie de flamands roses en liberté ajoutent à son charme. Une autre raison de visiter Hialeah est le Miami Jai-Alai Fronton. C'est un ancien jeu de pelote basque très populaire — les spectateurs peuvent parier sur les équipes ou des joueurs, ou simplement s'installer devant un repas à la Clubhouse et de là observer le jeu.

◆ ◆
KEY BISCAYNE
Cette île quelque peu isolée est la première de l'archipel de petites îles que sont les Keys,

Le windsurf est populaire à Key Biscayne, une partie des Keys et de Miami

mais comme elle n'est guère qu'à un pont de distance de Miami-Downtown et de Miami-Beach, on peut encore la considérer comme une partie de Miami. Dans les années 40, lorsque la digue fut construite, les citadins commencèrent à pressentir les possibilités de cette petite île comme retraite de week-end. Aujourd'hui, les maisons privées, les hôtels, les centres d'affaires et de nombreuses installations sportives se côtoient sous le feuillage luxuriant.

Le **Crandon Park**, à l'une des extrémités de l'île, a la faveur des joueurs de golf et des pique-niqueurs. Autre aire récréative en plein air à la pointe sud de Key Biscayne : le **Bill Baggs Cape Florida State Park**. Le phare de Cape Florida y a été construit en 1825 et abrite maintenant un musée historique. Vestige le plus ancien des guerres séminoles et de la guerre civile dans le Sud de la Floride. Accès à Key Biscayne par la Rickenbacker Causeway.

◆

LUMMUS PARK
Entre la 5e et la 14e rue
Concerts gratuits sur la plage ; location de parasols et d'équipements nautiques dans ce parc très vert proche de la plage. Il y a un autre Lummus Park au milieu du Government Center, en ville, là où l'ancien Wagner Building a été restauré et où se trouvent les Fort Dallas Barracks.

♦ ♦
METROZOO
Coral Reef Drive et 124ᵉ
Avenue au sud-ouest
Le zoo de Miami possède l'une des plus grandes variétés d'animaux en liberté, avec environ 100 espèces se promenant sur 115 hectares d'habitat presque naturel, séparées des visiteurs par des fossés. Parmi eux, des tigres blancs et des rhinocéros. Il est difficile de favoriser une section plutôt qu'une autre, mais la volière d'Asie, avec 300 oiseaux tropicaux, fait partie des meilleures. Les spectacles d'animaux, présentés plusieurs fois par jour, sont toujours populaires. Les visites par monorail donnent une vue d'ensemble, mais on peut aussi choisir le bateau ou le dos d'éléphant, et le zoo des animaux de compagnie plaît aux enfants. Prendre la Florida Turnpike ou l'US1 jus-

jusqu'à la 125ᵉ rue au sud-ouest puis suivre les panneaux.

♦ ♦ ♦
MIAMI SEAQUARIUM
Rickenbacker Causeway
Fortement recommandé avec des enfants, qui peuvent y passer une journée entière sans s'ennuyer. Les dauphins, les lions de mer et les baleines tueuses jouent tous des rôles étonnants dans des spectacles donnés plusieurs fois par jour, et le parc marin a aussi son côté éducatif. Poissons tropicaux rares ; jardins tropicaux et réserve naturelle.

♦
MIAMI YOUTH MUSEUM
Bakery Centre, 57ᵉ Avenue
sud-ouest
Construit récemment, ce centre culturel et artistique interactif est conçu pour aider les très jeunes à apprécier l'art ; les visiteurs peuvent créer leurs propres effets visuels et musicaux.

♦
MICCOSUKEE INDIAN VILLAGE
Très touristique. Les enfants apprécieront les contorsions des alligators, même s'ils ne s'intéressent pas aux patchwork et aux paniers réalisés par les membres de la tribu. Prendre l'US1 ; environ à 40 km à l'ouest de Miami.

♦ ♦ ♦
MONKEY JUNGLE
14805, 216ᵉ Street au sud-ouest
On peut s'y promener dans une jungle presque naturelle, à l'abri d'un chemin grillagé au milieu des singes qui se balan-

Entraînement des dauphins au Miami Seaquarium

cent en liberté. Leur curiosité dépasse celle de leurs visiteurs, et leurs mimiques sont très distrayantes. Des gorilles, des orangs-outangs et de tout petits singes, mais les étoiles du spectacle sont les malins chimpanzés.

Recommandé pour les enfants. Entrée gratuite pour les moins de 5 ans. Accès par l'US1.

♦ ♦
MUSEUM OF SCIENCE AND SPACE TRANSIT PLANETARIUM
3280 Miami Avenue au sud.
Un musée éducatif drôle, qui explore le monde de la lumière, du son, de l'énergie, de la biologie et bien davantage. Plus de 100 expositions interactives et jeux avec des ordinateurs. Spectacles multimédias et laser dans le planétarium et, quand le temps le permet, observation des étoiles gratuite au Southern Cross Observatory. Voir aussi l'exploratorium des animaux, où l'on peut observer des reptiles et la vie marine locale. Recommandé avec des enfants.

♦
ORCHID JUNGLE
26715 157e Avenue au sud-ouest, Homestead
Bon moyen de se faire offrir un bouquet de bienvenue. Les plus belles orchidées du monde fleurissent dans cette jungle naturelle. Promenade le long des pistes. A 40 km au sud de Miami ; accès par l'US1.

♦ ♦ ♦
PARROT JUNGLE
11000 57e Avenue au sud-ouest

Une des plus anciennes attractions et des mieux développées, la préférée de beaucoup de visiteurs. Des centaines d'oiseaux tropicaux brillamment colorés volent partout, se perchent sur votre épaule, mais aussi plus de 2 000 variétés de plantes. Un des clous : le spectacle d'oiseaux dressés dans le Parrot Bowl. Après le spectacle, rester pour la parade des flamants roses. Recommandé avec des enfants. Gratuit pour les moins de 6 ans.

♦ ♦ ♦
PLANET OCEAN
Rickenbacker Causeway
Une nouvelle façon de découvrir les mystères de l'océan, effets spéciaux pour le plus grand plaisir des jeunes visiteurs. On traverse un ouragan sans être emporté par le vent et une tempête sans se faire mouiller. On peut toucher un iceberg, entrer dans une goutte d'eau ou voir un spectre. Des expositions et spectacles multimédias expliquent les mystères de l'océan. Vaut chaque centime du droit d'entrée ; recommandé avec des enfants. Accès facile par la digue en venant du *Seaquarium*.

♦ ♦
SOUTH POINTE PARK
Government Cut
Parc de 8 hectares proche de Miami Beach, avec des terrains d'entraînement, des aires de jeux et de pique-nique, des tours d'observation, un amphithéâtre pour les concerts et un restaurant de fruits de mer.

◆ ◆
SPANISH MONASTERY
Miami Beach

Certes il a l'air espagnol : d'abord érigé en Espagne au XVe siècle, il a été transporté pièce par pièce en Amérique en 1954. Le monastère de Saint-Bernard abrite des antiquités et des œuvres d'art.

◆ ◆ ◆
VIZCAYA
Miami Avenue au sud

Ancienne maison de James Deering, fondateur des International Harvesters, cette maison italienne de 70 pièces est entourée de 5 hectares de jardins paysagés surplombant la baie de Biscayne. Décoration baroque luxuriante, renferme des trésors de l'art européen. Le festival annuel de Shakespeare et la foire italienne de la Renaissance se déroulent dans ses jardins.

Hébergement

Les environs de Miami possèdent une multitude d'hôtels de grand luxe et de tourisme et d'appartements de vacances. Certaines chaînes (Howard Johnson par exemple), éditent des coupons de paiement que l'on peut se procurer avant de partir. On trouve aussi quelques *Bed and Breakfast*. Voici une liste de quelques-uns des meilleurs hôtels :

Alexander All-Suite Hotel, *5225 Collins Ave, Miami Beach (tél. (305) 865 6500)*. Hôtel intéressant et luxueux ; les 206 chambres sont des suites avec cuisines. Salle à manger, salon pour les cocktails, animations, service en chambre, piscines, courts de tennis et golfs. Splendide propriété au bord de l'océan, à 15 minutes de l'aéroport pour qui peut s'en permettre les tarifs.

Biscayne Bay Marriott Hotel & Marina, *1633 Bayshore Drive au nord, Miami (tél. (305) 374 3900)*. 757 chambres, situé sur la baie dans Miami Downtown, relié par un pont à l'Omni International Shopping Mall. 5 restaurants et salons au choix, piscine d'eau bouillonnante, sauna, et transport gratuit pour l'aéroport.

Doral, *4833 Collins Ave, Miami Beach (tél. (305) 532 3600)*. Ancien hôtel rénové, 420 chambres, en front de mer. Chambres coûteuses mais très agréables, tout comme la salle à manger et le salon de thé. Autres installations : jardins, piscine, courts de tennis, terrain de golf au Doral Hotel & Country Club.

Fontainebleau Hilton Resort, *4441 Collins Ave, Miami Beach (tél. (305) 578 2000)*. Immense mais bien organisé, vieil hôtel de 1206 chambres en front de plage. Piscine naturelle. 14 restaurants et salons au choix et un night-club où les plus grands noms se produisent. Installations sportives, courts de tennis.

Grand Bay Hotel, *2669 S. Bayshore Drive, Coconut Grove (tél. (305) 858 9600)*. Hôtel luxueux de style européen dont les magnifiques jardins donnent sur la baie de Biscayne. Service en chambre 24 heures sur 24 et fleurs fraîches à volonté. Assez intime avec 181 chambres. Installations : club santé, piscine d'eau bouillonnante, sauna, restaurant élégant ainsi qu'un prestigieux night-club ouvert par Régine.

Sheraton Bal Harbour, *9701 Collins Avenue (tél. (305) 865 7511).* 675 chambres dans un endroit merveilleux en front de plage. Chambres avec kitchenettes. Neuf restaurants et salons, et un club renommé pour ses revues musicales. Autres installations : piscine d'eau bouillonnante, sauna, tennis et remise en forme.

Dans l'Art Deco District, plusieurs petits hôtels restaurés sont particulièrement populaires, notamment le Carlyle, le Waldorf Tower, l'Edison et le Park Central. A Sunny Isles, parmi les hôtels à prix raisonnables, citons le Château by-the-Sea et le Driftwood Resort Motel. On recommande également, dans ce quartier, le Marco Polo et le Radisson Pan-American Hotel. Le Mayfair

House, à Coconut Grove, est plutôt insolite ; les 185 chambres possèdent toutes leurs jacuzzi et souvent un piano droit (des antiquités). Noter aussi que le Biltmore (baie de Biscayne), qui date de 1926, a été restauré et que l'Intercontinental possède une collection de tapisseries sans prix et s'honore du marbre italien de Sir Henry Moore : *the Spindle* (5 m 15).

Sheraton Royal Biscayne Beach Resort & Racquet Club, *555 Ocean Drive, Key Biscayne (tél. (305) 361 5775).* Villégiature prestigieuse en front d'océan, plage privée. 192 chambres, dont certaines avec kitchenette. Bonnes installations sportives, deux piscines et dix courts de tennis. A 10 minutes de Miami Downtown.

Les enfants

De nombreuses attractions familiales particulièrement

Une colonie de flamants roses dans Parrot Jungle

adaptées aux enfants dans la région de Miami. Les spectacles d'animaux de Monkey et Parrot Jungle sont très originaux et, bien sûr, les dauphins et les baleines sont les étoiles du Seaquarium. On rencontre des espèces exotiques comme le tigre blanc au Metrozoo et les parcs abondent en aires de jeux. Aux États-Unis, les musées ne sont jamais ennuyeux. Le Museum of Science and Space Transit Planetarium ainsi que Planet Ocean sont remarquables. (voir **Visite**).

Restaurants

Pour ce qui est de manger à Miami, on a vraiment l'embarras du choix, dans les hôtels ou ailleurs. Toutes les cuisines ethniques sont représentées, et les lieux de restauration rapide sont innombrables. Parmi les hôtels-restaurants que l'on recommande, citons :

Dominique's, *Alexander Hotel, 5225 Collins Avenue, Miami Beach (tél. (305) 865 6500).* Romantique et excellent. Salle à manger rose et verte décorée de tapis orientaux et d'antiquités ; menu français.

Restaurant Place St Michel, *Hotel Place St Michel, 162 Alcazar Avenue, Coral Gables (tél. (305) 446 6572).* Atmosphère de café, cuisine continentale et américaine, petit déjeuner, déjeuner et dîner. Bon brunch le dimanche avec un buffet au champagne.

Véronique's, *Biscayne Bay Marriott, 1633 North Bayshore Drive, Miami (tél. (305) 374 3900).* Préparations raffinées, haute cuisine et cuisine locale avec des spécialités de la mer.

Très bon service (cher) avec présentation à la table. Excellente carte des vins.

Parmi les restaurants sans hôtels on peut citer :

Casa Juancho, *2436 8e rue vers le sud-ouest, Miami (tél. (305) 642 2452).* Au cœur du quartier espagnol de Miami, cuisine espagnole traditionnelle ; musiciens ambulants attirés par les fêtes historiques du XIVe siècle. Veste et cravate exigées.

Chart House Restaurant, *51 Chart House Drive, Coconut Grove (tél. (305) 856 9741).* Propose les favoris américains : steak et côte première, huîtres et spécialités de la mer et un *salad bar*. Réductions sur les cocktails et les apéritifs sur les terrasses surplombant la baie de Biscayne.

Dockside Terrace, *Bayside Marketplace, 401 Biscayne Blvd, Miami (tél. (305) 358 6419).* Endroit banal en front de mer avec belle vue sur la place du marché et la marina. Spécialités de la mer. Terrasse.

East Coast Fisheries Restaurant, *360 W Flager St, Miami (tél. (305) 373 5515).* Vieux restaurant de la mer sur le fleuve Miami. Le premier étage se dédouble en salle à manger et marché aux poissons, alors fraîcheur garantie !

Joe's Stone Crab, *227 Biscayne Blvd, Miami (tél. (305) 673 0375).* Toujours à la mode, ce restaurant existe depuis 1913. Grand, bruyant et banal, fruits de mer délicieux. Pendant la saison des crabes gris, en prendre une assiette, à tremper dans le beurre ou la sauce moutarde.

Le shopping est une spécialité de Miami : le nouveau centre de Bayside Marketplace

Roney's Pub, *2305 Collins Ave, Miami Beach (tél. (305) 532 3353)*. Style british ; portions de taille américaine. Pas de réservations.

Achats

L'on trouve partout dans Miami d'élégantes boutiques spécialisées, des galeries marchandes, des centres commerciaux et des marchés. Il y a une admirable variété d'espaces commerciaux, qui voisinent avec les magasins d'artisanat, les boutiques d'art déco et les boutiques de dégriffés. Voici une sélection des endroits les plus intéressants à visiter — ne serait-ce que pour y flâner :

Adventura Mall, *19501 Biscayne Blvd, North Miami*. Galerie chère de plus de 200 magasins et 21 restaurants sur deux étages. Boutiques, antiquaires, et aussi grands magasins comme Macy's et Lord & Taylor. Accès aisé en venant des comtés Dade et Broward.

Arthur Godfrey Road, *à l'est de la Julia Tuttle Causeway*. L'artère principale de l'aéroport à la plage est l'une des rues les plus commerçantes, on peut s'y rendre à pied des nombreux hôtels du front de plage. Rue ancienne, mais florissante.

Bakery Centre, *South Miami*. Complexe de plusieurs millions de dollars avec de nombreuses et belles boutiques, des restaurants internationaux et des cinémas. Œuvres d'art insolites tout autour, dont l'*Hammering Man* de Jonathan Borofsky (7 m) et les trompe-l'œil de Richard Haas.

Bal Harbour Shops, *de Collins Ave. à la 97e rue*. Espace commercial sélect au milieu de magnifiques jardins paysagers aux orangers en fleurs, Deux grands magasins dans cette galerie marchande de trois étages en plein air : Saks Fifth Avenue et Marcus.

Bayside Marketplace, *401 Biscayne Blvd, Miami.* La nouvelle attraction de la ville : deux étages de magasins, de restaurants et de pavillons aux alentours de la Miamarina sur la baie de Biscayne. Magasins de mode, d'artisanat et boutiques d'alimentation latino-américaines.

Cutler Ridge Mall, *20505 S Dixie Highway, Miami.* Plus de 165 boutiques, et des grands magasins comme Lord & Taylor's, Burdines, Jordan Marsh, et Sears and JC Penney.

Dadeland Mall, *7535 N Kendall Drive, Miami.* Populaire et animé. Grands magasins comme Jordan Marsh, Burdines, Saks Fifh Avenue et Lord & Taylor's, mais aussi des boutiques. Stations de métro très proches.

The Falls, *8888 Howard Drive, Miami.* Galerie à ciel ouvert avec des allées paysagères, des fontaines et des pontons, et une série de boutiques et de restaurants. Parmi les grands magasins, Bloomingsdale's.

Flager Street, *Miami Downtown.* Une rue où l'on se bouscule au cœur de Miami Downtown ; toutes sortes de magasins dont Burdines.

Hallandale Flea Market, *Gulfstream Race Center et Hallandale Beach Blvd.* Un marché aux puces où il fait bon flâner à la recherche de la bonne affaire neuve ou d'occasion. Ouvert seulement le week-end.

Lincoln Road Mall, *croisement de 16e Street et de Lincoln Road, Miami-Beach.* Un des endroits les plus populaires, avant l'ouverture des autres. 175 magasins s'y alignent à ciel ouvert dans une zone piétonne où ne pénètrent que les trams électriques. On l'appelle aussi l'international Market Place.

Little Havana, *croisement de la 8e rue vers le sud-ouest et de Flager St vers l'ouest, Calle Ocho.* Marchandises cubaines ; acheter les cigares.

Loehsmann's Plaza, *de Biscayne Blvd à la 187e Street vers le nord, Miami-Beach.* Dégriffés très intéressants, invendus des grands couturiers.

The Mall at 163 rd St, *Miami-Beach vers le nord.* Centaines de boutiques dans ce centre commercial sur deux niveaux ; grands magasins comme Burdines et Jordan Marsch.

Mayfair in the Grove, *Coconut Grove.* Promenade élégante en forme d'atrium où l'on trouve les derniers modèles d'Yves Saint-Laurent et de Ralph Lauren, et des restaurants et night-clubs sélects.

Miami Fashion District, *5e avenue vers le nord-ouest et 22e rue.* Boutiques de mode et accessoires pour la maison.

Miracle Mile, *24e rue vers le sud-ouest, Coral Gables.* Presque tout ce que l'on peut désirer dans 150 magasins.

Omni International Mall, *1601 Biscayne Blvd, Miami.* Propriété d'un des grands hôtels de la ville, cette galerie possède de nombreuses boutiques sélectes, des grands magasins et de nombreux restaurants. Accès au Biscayne Bay Marriott Hotel sans sortir.

LES KEYS

Les Keys sont très insolites. Ce groupe de 45 îles, baptisées « cayos » par les Espagnols, sont parsemées en un archipel de 240 km de l'extrême sud du pays jusque loin dans le golfe du Mexique. Les premiers explorateurs ne se sont jamais attardés à aucun de ces affleurements rocheux, mais s'y réfèrent comme à « Los Martires », c'est-à-dire « les Martyrs », à cause de leur ressemblance avec des hommes souffrants. Les indigènes indiens furent laissés à leur chasse et à leur pêche. Au XVe siècle, il aurait dû s'agir de la tribu des féroces Calusa, mais les tertres indiens qui nous sont parvenus laissent penser que les premiers habitants étaient des Arawaks et des Caraïbes.

Les pirates allaient et venaient, faisaient quelquefois naufrage, mais les colons blancs ne vinrent pas s'y installer avant le XVIIIe siècle. Leur activité consistait surtout dans l'agriculture — citronniers, tamariniers, arbres à pain, et, pamplemousses. Plus tard, une tannerie de peaux de requins fut implantée sur Big Pine Key ; les peaux de requins étaient envoyées au nord pour être transformées en un cuir rude appelé le « shagreen ». Les loyalistes anglais transplantés et les voyageurs yankees arrivèrent au XIXe siècle, suivis des Cubains, qui installèrent des usines de cigares. C'est seulement alors que le tourisme atteignit les Keys. Après que Henry Flager eut amené le chemin de fer jusqu'à

L'une des routes sur l'eau les plus longues du monde relie les Keys entre elles

Key West en 1912, les riches vinrent profiter du climat et de la douceur de vivre.

Le chemin de fer — véritable prouesse technique — fut supplanté par une autoroute sur l'océan en 1938. Aujourd'hui, l'autoroute comprend le pont bien connu des *Seven Mile* (11 km), et Key West n'est plus qu'à trois heures de Miami. On peut aussi prendre l'avion, mais il serait dommage de se priver du paysage : lagons bleus, palétuviers olives, sapins blancs ; pour ce qui est de la vie de la nature : hérons, palettes, pélicans et orfraies ; les eaux incomparables qui entourent les îles sont un endroit idéal pour la pêche, la plongée, le bateau et le canoë.

VISITE

◆ ◆ ◆
KEY LARGO

C'est la plus septentrionale des Keys, elle est surtout connue pour le **John Pennekamp Coral Reef State Park**, le premier parc sous-marin d'Amérique, d'une superficie de 487 km² et à environ une heure de voiture de Miami. Baptisé du nom d'un rédacteur en chef de journal attaché à la protection du site, *Pennekamp* est une merveille pour qui s'intéresse à la vie marine. Les eaux sont d'une limpidité et d'un calme renommés ; la vie subaquatique est exotique et haute en couleurs. Il y a, paraît-il, 300 espèces différentes de poissons et plus de 40 variétés de coraux, et bien d'autres créatures marines.

On peut explorer Pennerkamp de quatre façons principales. Les bateaux à fond de verre ont un hublot d'observation et embarquent leurs passagers à l'extrémité sud du parc pour une visite des Molasses Reef. C'est également l'endroit le plus populaire pour la plongée ou la nage avec tuba, car presque toutes les variétés de coraux s'y trouvent réunies.

La nage avec tuba est facile pour quelqu'un qui sait nager, une navette spéciale part plusieurs fois par jour pour 2 h 30 de visite du récif, le temps étant surtout passé sous l'eau. Prix forfaitaire pour l'équipement et une courte formation.

L'endroit de prédilection d'Humphrey Bogart à Key Largo : le Key's Carribean Club

On peut aussi opter pour une visite sous-marine personnalisée, en petit groupe.

Pour embarquer sur le bateau de plongée, il faut être plongeur certifié, bien qu'une formation au scuba soit possible. Les sites de plongée varient selon les circonstances mais Molasses Reef, French Reef ou Benwood Wreck sont les destinations les plus courantes. Certains plongeurs ou nageurs avec tuba préfèrent les sites aménagés par l'homme ; dans ce cas, la meilleure solution est Dry Rocks, où une statue en bronze du Christ est immergée à 6 mètres. Autres attractions : le parc offre ses plages aménagées, des parcours aménagés pour canoës

ou randonneurs et on peut louer des planches de windsurf.

Ceux qui prévoient de visiter la Floride en octobre se réjouiront sans doute de savoir que la régate annuelle du Columbus Day se déroule principalement à Sands Key, Elliott Key et Old Rhodes Key dans la baie de Biscayne. La petite île entre Elliott Key et Old Rhodes Key était autrefois un repaire de pirates appelé Black Caesar's Rock. D'après la légende, Black Caesar, esclave noir en fuite, était si habile dans le piratage qu'il devint le bras droit de Barbe Noire.

LES UPPER KEYS

De Miami, une voiture suffit pour se rendre n'importe où dans cet archipel entre Key Largo et Long Key. On peut s'arrêter à **Tavernier Key**, point de départ habituel des ornithologues pour visiter les Florida Bay Rookeries. L'île a été baptisée d'après l'associé du pirate Jean Lafitte qui s'y cacha au XVIIIe siècle.

◆ ◆
ISLAMORADA

Base importante et populaire des Upper Keys au centre d'un groupe d'îles entourées de corail et de palmiers surnommées les « purple isles » (îles pourpres), qui comprennent Plantation, Windley, Upper et Lower Matecumbe Keys. « Pourpre » est la traduction du mot espagnol *morada*, qui pourrait se référer au grand nombre d'escargots de mer violets (*Janthina Janthina*) le long de la côte ; mais il pourrait aussi venir de ces petites fleurs sauvages qui couvrent les îles comme des vagues de mûriers. Islamorada possède des hôtels de grand luxe, des marinas, des installations pour le golf et le tennis, des sentiers de grande randonnée et des pistes cyclables. Merveilleux endroit pour le tuba et la plongée au Coral Underwater Sea Garden à l'écart de la côte. Un des meilleurs endroits pour la pêche au tarpon (*megalops atlanticus*).

Ne pas manquer le Théâtre de la Mer : il ne s'agit pas d'un spectacle organisé mais de grands bassins naturels bordés de corail où les marsouins et les lions de mer s'ébattent. On peut apercevoir dans ces récifs des barracudas, des requins, etc. Les « purple isles » étaient le quartier général d'une bande de de « naufrageurs » bien connue au début du XIXe siècle et l'épave d'un gallion espagnol est échouée au large. La petite **Lignumvitae Key** est l'un des rares endroits où poussent encore certains spécimens de la végétation originale des Keys. Sur cette île de 140 hectares, s'élèvent quelques lignumvitæ (arbre de vie) ainsi que des acajous, des figuiers, des arbres vénéneux, des pruniers sauvages et des gummifères. C'est un parc d'État et un site botanique ; possibilités de visites guidées.

◆
LONG KEY
Étape recommandée pour les amateurs de nage sous-marine. Les boutiques de plongée organisent des excursions individuelles ou en groupe vers les récifs voisins. A Layton, on peut visiter la **Zane Grey Creek** et le **World Shark Institute** ; sentiers de grande randonnée dans le **Long Key State Park**.

LES MIDDLE KEYS
Cette partie de l'archipel entre Long Key et le Seven Mile Bridge consiste surtout en petites îles portant des noms comme Conch (conque), Duck (canard), Crawl (reptile) et Grassy (herbeux) — ce dernier nom venant d'un des premiers colons et non de la végétation. **Marathon** est un complexe touristique bien développé des Middle Keys, avec son aéroport, les installations habituelles et des golfs. Jadis, elle a servi de cachette à des pirates.

LES LOWER KEYS
Zone située entre le Seven Mile Bridge et Key West ; la plus grande de ces Keys est :

◆
BIG PINE KEY
Ilot tropical à quelques kilomètres de Key West, couvert de palmiers nains argentés, de sapins des Caraïbes et de cactus, connu surtout pour les nombreux cerfs nains qui y vivent. Ces cerfs (juste un peu plus grands qu'un chien de taille moyenne) étaient jadis très répandus dans les Keys. Maintenant, le peu qu'il en reste est confiné sur Big Pine Key et ils sont protégés par le gouvernement.
A 9,5 km au sud de Big Pine Key, se trouve le **Looe Key National Marine Sanctuary**, un magnifique récif de corail qui fournit un endroit idéal pour la plongée ou la nage sous-marine de 64 cm à 13 m dans les eaux calmes et transparentes du Gulf Stream. Accès par bateau de la Bahia Honda State Recreation Area.

◆ ◆ ◆
KEY WEST
L'île la plus au sud et la plus renommée. Elle possède les grands hôtels les plus opulents, les personnalités les plus célèbres, une histoire pleine de rebondissements et une vie nocturne très animée. Jadis lieu de prédilection des trafiquants de rhum, elle est maintenant aimée de toutes sortes de gens. Le meilleur moment pour venir est peut-être le festival, en octobre ; on célèbre Haloween par une Fantasy

Fest digne des meilleurs mardis gras. Pendant cette période, foires de rue, festivals d'art et d'artisanat, parades et cortèges de carnaval se succèdent.
En février, c'est la fièvre des Old Island Days : on illumine les maisons et leurs propriétaires invitent le public à entrer ; on organise des divertissements et jeux, par exemple un concours pour faire éclater des conques et bien d'autres festivités ; cela ne prend fin qu'en mars avec la bénédiction de la flotte de pêche à la crevette. Bien que cette fête ne date que de 1960, elle est très populaire ; certains capitaines de la région font peindre leurs vaisseaux, pavoisent leurs ponts et distribuent des assiettes de crevettes gratuites à ce moment. L'anniversaire de la naissance d'Ernest Hemingway, qui vécut sur l'île, est célébré le 21 juillet par un festival de cinq jours. Les « Hemingway Days » sont l'occasion d'un tournois d'imitations et de nouvelles, d'une fête costumée et d'un concours de pêche en eau profonde. Hemingway aimait Key West et la résidence qu'il y a partagée avec une de ses femmes a été aménagée en un musée qui abrite des photographies et d'autres souvenirs, dont sa machine à écrire. Sa piscine fut la première à Key West.
L'**Hemingway House** se trouve dans Whitehead Street.
Le **Lighthouse Military Museum** se trouve juste en face. Les visiteurs peuvent grimper au sommet, regarder dans un périscope sous-marin et se promener parmi un hectare

La maison d'Hemingway à Key West

d'artillerie lourde. L'exposition possède un des deux « sous-marins pour deux hommes » que l'on a retrouvés, construits par la marine impériale japonaise pendant la seconde guerre mondiale.
L'**Audubon House**, dans Whitehead Street, fut la résidence de l'artiste naturaliste John James Audubon lors de sa visite dans les Keys en 1832. Une maison de 1812 restaurée avec goût ; ancienne propriété du capitaine John Geiger qui sauva des biens en les collectionnant ; meubles d'époque. Nombreuses gravures authentiques d'Audubon, dont certaines tirées de son célèbre folio « Birds of America ». Pendant son séjour, Audubon explora les forêts de palétuviers pour observer les oiseaux de la région. Visite guidée de la mai-

son, vidéo qui montre les détails extraordinaires de ses dessins. L'**Oldest House Museum** est située dans une rue fameuse pour le shopping et les restaurants, Duval Street. Maison construite en 1829 par un capitaine au long cours, son écoutille sur le toit révèle les tendances de la construction navale à l'époque. Maquettes de bateaux et maison de poupée meublée à l'intérieur. Le long de Duval Street, nombreux bons restaurants souvent dans des cours intérieures. Mais le rendez-vous le plus important est **Mallory Square**, sur la baie. Tant que l'on n'a pas vu de coucher du soleil sur la jetée de Mallory, on n'a pas vécu, paraît-il, et c'est précisément le moment où la place s'anime : acrobates, jongleurs, quartettes à cordes — tout ça gratuit.

Pour les enfants, voir aussi le **Key West Aquarium**, autour de la place, sur la baie également. Premier aquarium en plein air aux États-Unis et principale attraction des Keys. On y trouve un récif coralien vivant, un réservoir à requins et un bassin à tortues. Le réservoir « que l'on peut toucher » contient des animaux que l'on peut manipuler sans risque.

A **Flipper's Sea School**, une autre attraction, on peut assister non seulement à des spectacles de dauphins mais à leur dressage ; les visiteurs les observent de chemins suspendus au-dessus des bassins-école. L'ancienne maison d'hiver du Président Harry Truman, un peu au-delà de l'extrémité sud de Southard Street, s'appelle **Little White House**. Elle a été redessinée pour lui après sa première visite à Key West en 1946, et c'est là qu'il tint, en 1948, sa fameuse conférence avec les états-majors alliés pour l'unification des forces armées.

L'attraction la plus récente à Key West est le **Fort Zachary Taylor State Park**. Fort Taylor, un vestige d'avant la guerre civile, rappelle l'époque où les troupes de l'Union occupaient la ville. Bien que le reste de la Floride fût fermement en faveur de la Confédération, le drapeau de l'Union flottait sur ce fort et empêchait sa prise par les rebelles. Dans l'aire récréative, on trouve une plage et un endroit agréable pour nager et pique-niquer. S'il existe un sport traditionnel à Key West, c'est la pêche, qu'Hemingway lui-même aimait beaucoup. On peut, tout au long de l'année, pratiquer plusieurs sortes de pêche ; on a le choix entre les récifs de l'Atlantique, les eaux du Gulf Stream et le golfe du Mexique. Une journée de pêche en haute mer au large des côtes est une expérience mémorable, et le mauvais temps ne s'y oppose que rarement. Les pêcheurs moins ambitieux trouveront leur plaisir dans les récifs coraliens naturels et les restes des nombreux naufrages dans les eaux de Key West. Pour les pêcheurs plus jeunes (et limités par leur budget), il reste les frissons de la pêche en eau salée, à bord de petites embarcations à moteur ou encore du pont ou de la jetée.

La ville insulaire de Key West

ne dépassant pas 5,5 km sur 1,5 km, les déplacements n'y posent aucun problème. Si l'on veut éviter de marcher, on peut prendre l'Old Town Trolley, qui dessert les hôtels et propose une visite guidée des vestiges historiques, avec une visite aux anciens docks de la Marine et à Solaris Hill, le point culminant de la ville. Une autre possibilité, populaire, est le Conch Tour Train, où l'on est promené dans de petites voitures décapotables.

Une vue remarquable sur une petite île : l'église blanche de Key West

Hébergement

Il y a des locations de meublés, des Beds and Breakfast, des hôtels et des terrains de campings partout dans les Keys,

surtout à Islamorada et à Key West. **Checea Lodge** est une bonne formule sur cette dernière et, juste en sortant on peut essayer **The Reach**. Les Beds and Breakfasts de Key West se trouvent souvent dans de charmantes maisons ayant appartenu à des marins ; terrains de camping pour tous budgets, très nombreux dans les Lower Keys.

Les enfants

Tout enfant qui aime l'eau, possède un masque de plongée aimera les Keys où l'on s'habille de façon informelle et où les activités nocturnes se terminent tôt. La plupart des distractions sont regroupées dans le Pennerkamp State Park, à Islamorada et à Key West.

Restaurants

Les restaurants les plus chics se trouvent sur Key West, mais sur presque toutes les Keys, les endroits où manger de bons plats de la mer abondent. Rechercher les bars à huîtres. Restaurants cubains et bahamiens, et d'autres restaurants ethniques plus récents. Citons, parmi les restaurants connus à Key West, **Louie's Backyard, Harbor Lights** et **Bagatelle**.

Achats

La plupart des boutiques et les meilleures d'entre elles, se trouvent à Key West, qui possède des étals dans les rues, des boutiques élégantes, etc. Ailleurs, les boutiques de souvenirs vendent du *driftwood* (bois rejeté sur les côtes ayant souvent été naturellement sculpté par la mer dans des formes étranges), des noix de coco travaillées, etc. La plupart des magasins se trouvent dans Duval Street et autour de Mallory Square.

Un endroit tranquille pour pêcher au coucher du soleil sur les Keys

LA LEE ISLAND COAST

La Lee Island Coast n'est pas une région de Floride très connue des touristes. Beaucoup de ses îles sont encore inconnues et à peine habitées, certaines ne sont accessibles qu'en bateau. Seuls leurs noms sont évocateurs : Sanibel, Captiva, Estero, Pine, Cayo Costa, Punta Blanca, Cayo Pelau, Buck and Devilfish Keys (Keys du taureau et des poissons du diable), Johnson Shoals et Chino Islands. C'est une côte qui possède l'aura des Caraïbes, des plages vierges et de merveilleux couchers de soleil, mais l'accès en est facile à partir de la « cité des palmiers » : Fort Myers.

Bien qu'il y fasse beau temps toute l'année, on tirera le meilleur profit d'un séjour entre Pâques et la mi-décembre, pendant que les gens du comté appellent la « saison secrète ». L'exploitation touristique, dans cette centaine d'îles du sud-ouest de la Floride, est restée discrète, mais l'hébergement raisonnable en ce qui concerne les prix, ne manque pas. C'est l'endroit idéal pour faire du bateau, avec environ 25 marinas où l'on peut louer un simple bateau à moteur ou n'importe quel autre élément d'une flotille complète. Les conditions sont toujours favorables et les voies navigables de l'Intracoastal Waterway, de l'Okeechobee Waterway et du golfe du Mexique s'y rencontrent. On a peu de chances de trouver tous les coquillages qui jonchent les plages magnifiques et il y a plus de 400 espè-

ces végétales, dont les tulipiers, les oliviers, les figuiers et les *junonias*. Cette partie de l'État comprend aussi des réserves naturelles de milliers d'hectares. Parmi les meilleures, citons le NJ « Ding » Darling National Wildlife Refuge, la Sanibel-Captiva Conservation Foundation, le Lee County Nature Center, le Carl E. Johnson Park, le Matanzas Pass Wilderness Preserve, Mound Key et le Cayo Costa State Island Preserve.

VISITE

◆

BLACK ISLAND

S'y rendre à tout prix même si ce n'est que pour un merveilleux pique-nique à la Lover's Key dans le Carl E. Johnson Park. Un « tram » fait traverser aux visiteurs des îles de forêts de palétuviers avant de les déposer sur la plage. Snack bar, location de canoës, sentier de randonnée dans le parc. Juste au sud d'Estero Island.

◆

BONITA BEACH

A l'extrémité de la Lee Island Coast, la Bonita Beach (entre Fort Myers et les Bonita Springs) est probablement l'une des plages les plus merveilleuses de la côte ouest. Boutiques et restaurants (avec vue sur l'océan) et possibilités d'hébergement qui vont du cottage au condominium. Côté activités, courses de Greyhounds au Kennel Club de Naples et de Fort Myers à Bonita Springs entre octobre et début août ; l'Imperial River, l'une des ressources naturelles les plus précieuses de Bonita Springs, a la réputation de proposer les meilleurs clubs de canoë de la région. On pourra emmener les enfants au Golf Safari à Bonita Beach Road, les chutes d'eau et les jardins tropicaux y sont le cadre d'un mini-golf à 18 trous — ou encore aux Everglades Wonder Gardens (une des meilleures attractions de l'État), pour y observer la faune locale et exotique.

◆
CABBAGE ISLAND
L'endroit idéal pour celui qui rêve d'une île presque déserte. La petite auberge appartenait autrefois à l'écrivain Mary Roberts Rinehart. Seulement six chambres d'hôte mais salle à manger très populaire tapissée de dollars autographes — ça vaudrait environ 10 000 dollars aujourd'hui si on les enlevait !

Cabbage Key est construite au sommet d'un ancien monticule de coquillages érigé par les Indiens Calusa — un des plus anciens du sud-ouest. Explorer les sentiers, grimper au château d'eau pour découvrir une vue panoramique sur Pine Island Sound ; une marina. Accessible uniquement par bateau par l'Intracoastal Waterway au nord de Captiva, au Channel Marker 60.

◆
CAPE CORAL
Endroit reposant pour apprécier la vie en plein air dans les huit parcs récréatifs. Installations pour la pêche au Four Freedoms Park, aires de jeux et de pique-niques. Sentiers de randonnée et parcours d'observation à Eco-Park, plage à Lake Kennedy. Cape Coral est une commune continentale qui borde l'intracoastal Waterway en face de Pine Island.

◆ ◆ ◆
CAPTIVA ISLAND
C'est sur cette petite île que le pirate Jose Gaspar, qui marquait son passage en pillant au large des îles de l'actuel comté Lee, envoyait ses prisonniers. C'est le Tahiti de la Floride : une luxuriance entourée de sable blanc et de palétuviers, colorée d'hibiscus.

Deux grands hôtels de luxe. A la South Seas Plantation, les visiteurs ont le choix entre une chambre d'hôtel, une villa ou un cottage à louer ; nombreux restaurants ; tennis, golfs, leçons de navigation dans la marina, clubs de pêche et de ramassage de coquillages.

Les coquillages sont la grande attraction sur Captiva. Une promenade le long de la Blind Pass Beach en révélera des quantités empilées sur la grève. Les coquinas minuscules sont communs et hauts en couleur ; avec de la chance, on trouvera un dollar de sable (un petit cercle de sable aggloméré) ou une dent noire et polie de requin. Sports nautiques, bains de soleil et cyclisme ; Presque une douzaine de restaurants sur Captiva. Longue de 9,6 km, l'île est reliée à Sanibel et accessible de la terre ferme par une digue d'1,6 km.

◆ CAYO COSTA

C'est l'île la plus sauvage et la plus vaste de la région, elle n'a été achetée par l'État qu'en 1985 et n'est accessible que par bateau. Les travaux sont en cours pour la transformer en parc naturel — le Florida Department of Natural Resources protège des cabanes primitives dans sa partie nord, près de Johnson Shoals — mais la plupart des visiteurs viennent pour pêcher, se baigner, chercher des coquillages ou admirer la flore de l'intérieur. Nombreux nids d'oiseaux de mer au printemps et en été, les tortues de mer pondent leurs œufs sur les plages.

◆ ESTERO ISLAND

C'est l'un des endroits les plus populaires et les plus animés de la région, et c'est là que se trouve la plage de Fort Myers. L'absence de courants sous-marins ou de mouvements rapides de marée en fait une plage particulièrement sûre pour les enfants. Si on la compare avec celle des autres îles, la vie sociale sur Estero est assez sélecte ; tous les hôtels ont une vue sur la plage ; tous les restaurants servent des fruits de mer frais, avec du *red snapper (Sebastes Marinus)*. On pourrait même pêcher les siens — à la ligne, de l'une des nombreuses jetées ou en se joignant à l'un des charter boats affrétés sur les marinas pour la pêche au *tarpon (Megalops Atlanticus)*. Sports nautiques et initiation à la navigation. Parmi les attractions familiales, des terrains de golf inédits : Jungle Golf, sur San Carlos Road, un terrain miniature entouré d'animaux africains plus grands que nature ; ou Smuggler Cove, parmi les pirates et les débris de naufrages.

◆ ◆ ◆ FORT MYERS

C'est la capitale économique de la région, avec des galeries marchandes, des restaurants et des night-clubs.

Thomas Alva Edison prédit que cette ville deviendrait une grande agglomération populaire lorsqu'il y fit construire une résidence d'hiver dans les années 1880. Aujourd'hui, sa propriété de 7 hectares est devenue l'**Edison Museum**. Les jardins tropicaux en sont une caractéristique principale ; Edison y plantait des fleurs et des arbres tropicaux dans un but expérimental. Il étudiait des espèces comme l'hibiscus, la rose de Chine, les figuiers

Bouquet insolite de cornets de phonographes à l'Edison Museum

de Moreton Bay et les vignes, dans l'espoir de créer un végétal bénéfique. Ses expériences sur le *golden rod* dans sa propriété, aboutirent de fait à un nouvel hybride qui atteint 4 mètres et contient 12 % de caoutchouc ! Edison entreprit aussi de planter des palmiers royaux le long du Mc Gregor Boulevard (sur lequel se trouve sa maison). La ville a repris le projet en 1917 et l'avenue des palmiers s'étend maintenant sur 24 km. Edison vit Fort Myers pour la première fois en descendant le Caloosahatchee River. Sa décision de rester fut certainement influencée par le climat, mais il s'intéressait également aux bambous sauvages qui poussent sur les rives du fleuve, car il utilisait les fibres du bambou pour sa nouvelle lumière électrique.

La maison que l'on visite aujourd'hui est toujours éclairée par les ampoules électriques qu'il fabriqua en 1912 (l'une des inventions qu'il breveta parmi plus de 1 000). Le laboratoire où il travaillait est ouvert au public, ainsi que le musée qui contient la collection la plus complète de ses inventions, ainsi que des mémentos personnels.

Le **Fort Myers Historical Museum**, de style espagnol, expose des vestiges des Calusas, des Cowboys et des Koreshans. Ces derniers formaient un étrange groupe religieux. Ils vinrent de Chicago dans les années 1890 dans l'espoir de fonder une nouvelle Jérusalem sur Estero Island. Leurs anciennes maisons sont maintenant domaine d'État. Le musée abrite également une maquette de Fort Myers au tournant du siècle, une importante collection de vitraux et une exposition sur les premiers transports. Les visiteurs peuvent suivre le plan de visite de Fort Myers qui les emmènera le long de First Street, sous les arcades marchandes de style ancien et près des restaurants — plans à l'office du tourisme en ville. Fréquents spectacles musicaux et de danse et concerts au **Barbara B Mann Performing Arts Hall** sur le campus de l'Edison Community College, qui jouxte une galerie d'art. Grandes vedettes au nouveau planétarium du **Nature Center of Lee County**, sur Ortiz Avenue. Les très jeunes apprécieront la valse des lumières, de l'eau et de la musique aux **Walzing Waters** du San Carlos Park. La croisière dans la jungle des Everglades, qui part du port de plaisance de Fort Myers, donne le choix entre un buffet tropical, des croisières avec dîner et des excursions sur le lac Okeechobee. Au nord de Fort Myers, la **Shell Factory** est l'endroit idéal pour acheter des souvenirs ; la marchandise est étalée sur plus de 6 500 m². Juste à côté, **Fantasy Isles**, pour les enfants : Ma Mère l'Oie dirige un parc/garderie : volière, zoo d'animaux de compagnie, musée de cire et tours à cheval. Au sud, en suivant l'US14, le **Nature Wonderland Children's Museum** montre des jouets du passé et du présent lors d'expositions temporaires, ainsi que des coquillages insolites, la vie de la nature, etc.

◆
GASPARILLA ISLAND

C'est l'île où le pirate Jose Gaspar, qui est à l'origine du nom, enterra son butin. Aujourd'hui, **Boca Grande** est devenue un port sûr pour des gens riches et célèbres. Il a été fondé par la famille Du Pont dans les années 1800 et propose maintenant aux visiteurs des formules d'hébergement sur l'eau, de charmantes boutiques et des restaurants. Les visiteurs peuvent pêcher sur la plage, admirer le vieux phare ou descendre à bicyclette la Banyon Street ombragée. La plupart viennent pour pêcher, dans l'espoir de prendre un *tarpon (Megalops Atlanticus)*. C'est l'île la plus septentrionale de la Lee Island Coast.

◆
PINE ISLAND

Proche de Gasparilla et parallèle à Captiva, à Upper Captiva et aux Cayo Costa Islands, son nom vient des pins géants qui y poussent ; on y accède par un pont. Située en face de Sound, elle a été connue par le passé pour la pêche commerciale, et n'a pas d'infrastructure touristique. Le village de Bokeelia, en front de mer, est un vestige de la Floride ancienne ; des marinas, on peut entreprendre une visite aux îles les plus éloignées.

◆ ◆ ◆
SANIBEL ISLAND

Sanibel est, avec Captiva, l'île la plus facile d'accès et la plus populaire, avec un équilibre réussi entre la nature et le développement moderne. La voie d'accès principale est le Periwinkle Way, une jolie route qui s'abrite sous des pins d'Australie. Du phare de Sanibel à la Tarpon Bay Road, elle est parsemée de magasins de souvenirs, de boutiques et de confortables restaurants. On peut acheter les œuvres des artistes locaux qui ont le plus de succès à la **Schoolhouse** et aux **Matsumoto Galleries**.

Grands hôtels de luxe, golfs et tennis ; motocross pour les enfants, tandems et cabriolets

Les propriétés luxueuses n'ont pas abîmé la beauté de Sanibel Island

couverts ; mais la principale activité est le ramassage de coquillages, une obsession sur Sanibel (recherche d'yeux de tigre, de pattes de petit chat, d'ailes d'ange et d'oreilles de dame). Si on ne les trouve pas sur la plage, on pourra les acheter dans un des innombrables magasins de coquillages, mais là, il est difficile de résister devant les coquillages qui ont été « pris vivants » — voir **La nature**, page 101. La configuration de cette île en fait l'une des trois meilleures au monde pour la recherche de coquillages. La moitié de l'île est consacrée au **J N « Ding » Darling National Wildlife Refuge**, que l'on peut visiter à bicyclette ou en voiture. De la route de 8 kilomètres, construite sur un remblai, on peut observer les hérons, les aigrettes, les pluviers et les ibis. Sentiers de randonnée et parcours pour canoë dans cette région calme et marécageuse, où l'on peut dénicher des orfraies et des pélicans bruns et blancs.

♦
USEPPA ISLAND
Les riches plaisanciers et les pêcheurs appartiennent tous à l'Usapppa Island Club, mais il est possible de voir l'île d'une des bases du large en faisant une réservation. Le club est une version restaurée de l'ancienne maison que le millionnaire Barron G Collier fit construire dans le début des années 1900, c'est maintenant un grand hôtel sélect. La promenade rose de Collier existe toujours, menant de l'extrémi-

té nord de l'île à l'auberge avec sa terrasse et sa piscine.
Le pirate Jose Gaspar, qui avait été l'un des premiers à découvrir Useppa, y habitait de temps en temps.

Hébergement
Les visiteurs peuvent descendre dans des cottages rustiques près des plages, des appartements de vacances, des motels ou des complexes hôteliers tout confort comme le récent Sonesta Sanibel Harbour Spa. Sur Sanibel, on recommande aussi le Sanibel Beach Club, le Ramada Inn Beach & Tennis Resort, la Sanibel Island Hilton Inn, le Shell Island Beach Club et le Signal Inn Beach & Racquetball Club. A Fort Myers, l'Outrigger Beach Resort est bien organisé. Nombreux motels à prix raisonnables sur la plage et en ville.

Les enfants
Les îles sont agréables pour les tout petits qui aiment patauger et construire des châteaux de sable, mais guère d'activités spécifiques. Les meilleures attractions familiales se trouvent au nord de Fort Myers.

Restaurants
Choisir systématiquement du poisson sur les grandes îles comme Estero, mais plus de choix à Fort Myers.

Achats
Le plus grand choix de magasins se trouve à Fort Myers/ville et plage.

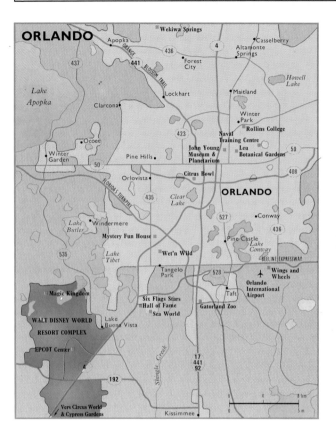

ORLANDO ET SES ENVIRONS

Quand on pense à la région d'Orlando, au centre de la Floride, on pense forcément aux parcs à thèmes innombrables à l'intérieur et à l'extérieur de cette ville qui, de petit village faisant le commerce du bétail, est devenue en 50 ans une grande ville moderne avec un aéroport international très admiré.

La région du centre de l'État s'étend entre l'Ocala National Forest et l'Okeechobee Lake. Spécialisée à l'origine dans le commerce du bétail, elle a acquis une réputation dans le domaine des plantations d'agrumes dans les années 1800. Aujourd'hui, les visiteurs y découvriront à la fois des rodéos et des orangeraies, sans parler des haras.

Bien que la plupart des touristes y viennent pour les attractions, Orlando et ses environs possède d'innombrables richesses naturelles. Ce n'est pas par hasard que le centre de la Floride s'appelle « Lake District » ; il y a littéralement des milliers de lacs, et deux des plus grands fleuves de l'État, le Peace et le Kissimmee, traversent la région. Il n'y a peut-être pas de plages de rêve, mais cela ne limite en rien les opportunités de pratiquer toutes sortes de sports nautiques.

Certains parcs d'attraction ou de fantaisie datent d'avant la seconde guerre mondiale, mais c'est Disney qui décida, dans le milieu des années 60, d'acquérir le site qui a vu tous les développements modernes, avec hôtellerie et moyens de transport. Orlando n'est pas le seul lieu de vacances ; ainsi Kissimmee St Cloud, tout aussi proche des endroits intéressants et de l'aéroport, comporte également toutes les installations touristiques nécessaires.

QUE VOIR A ORLANDO ET AUX ALENTOURS

◆
THE ADVENTURE DOME
Orlando
Un cinéma qui se spécialise dans les films qui engagent leur public dans une « expérience totale », avec un environnement sonore à 360°.

◆
ALLIGATORLAND SAFARI ZOO
Kissimmee/St Cloud
Une occasion d'observer la faune de Floride le long d'un

sentier d'1,6 km. Plus de 1 500 alligators dans le parc !

◆
APOPKA
Une base utile pour le **Wekiwa Springs State Park** où l'on peut camper, pique-niquer, nager ou louer un canoë. Dans le centre de la Floride, à 13 km au nord-ouest d'Orlando.

◆ ◆
ARABIAN NIGHTS
Kissimmee
Nouvelle attraction, qui a coûté 20 millions de dollars. Le stade, dessiné à la manière d'un palais arabe, a une contenance de 1 000 visiteurs qui peuvent dîner devant un spectacle en 16 actes. Il s'agit d'un spectacle de chevaux dressés par un entraîneur d'Hollywood : des Lippiz-zanas, des Quarter Horses et des chevaux de selle américains. A l'est du croisement de l'Interstate 4 et de l'Highway 192.

◆ ◆ ◆
BOARDWALK & BASEBALL
Une réalisation unique parmi les parcs à thèmes, celui-ci ne procure pas seulement des sensations fortes mais propose aussi des expositions et des attractions en rapport avec le baseball, des tournois en direct et d'autres distractions. On compte six terrains de baseball de catégorie championnat avec d'énormes capacités d'accueil pour les spectateurs. Les visiteurs peuvent même faire un essai, en se procurant un casque, et s'exercer à balancer la batte dans un des buts — il y a en a un en forme de

*Les attractions du Boardwalk &
Baseball ne sont pas destinées aux
seuls fans du sport !*

T pour les enfants — ou bien tester leurs capacités avec le gant. On peut examiner ses talents pour le lancer à l'intérieur, grâce au Bullpen, un lecteur électronique qui donne la vélocité du lancer et révèle s'il s'agissait d'une « balle » ou d'un « coup ». Films sur le base-ball dans un cinéma spécialisé ; expositions tournantes sur les carrières des membres du Hall of Fame, de Babe Ruth aux stars plus récentes ; jeux-spectacles ; les boutiques de cadeaux proposent capes, chandails et autres pièces d'équipement. A environ 25 minutes en voiture d'Orlando, au croisement de l'Interstate 4 et de l'US27.

◆
CENTRAL FLORIDA ZOO
Parc de 55 hectares avec des sentiers de randonnée dans les bois. Un coin avec des animaux de compagnie pour les petits. Par l'Interstate 4.

◆
CLERMONT
Une base de vacances possible au cœur du pays des citronniers à proximité de la plupart des parcs à thèmes. La **Citrus Tower**, haute de 60 mètres, offre une vue remarquable sur des millions de citronniers. Dans le centre de la Floride.

◆ ◆ ◆
CYPRESS GARDENS
Près de Winter Haven
Une des vitrines de la Floride, susceptible d'intéresser toute la famille. Le parc s'étend aujourd'hui sur 111,5 hectares mais dans les années 30, il n'y avait que 8 hectares de jardins botaniques exotiques. Restent 8 hectares de sentiers, bordés de plus de 8 000 plantes de 75 pays, exposées à différents moments de l'année. On signale le cyprès géant de 1 500 ans, représentant des plantes qui donnèrent leur nom au parc. D'un intérêt particulier également, le festival d'automne des chrysanthèmes, au moment où deux millions de ces fleurs s'épanouissent. Mais c'est coloré à tout moment de l'année et les visiteurs pourront l'apprécier.

Beaucoup à voir également dans le parc zoologique d'**Animal Forest** : revue d'oiseaux exotiques, démonstration quotidienne de dressage d'alligators, promenade dans la volière et coin spécial pour caresser les jeunes animaux. Toutes les générations semblent aimer ce coin ; habitat de chiens de prairie sur 2 niveaux.

La principale attraction de **Southern Crossroads**, réplique d'une ville *antebellum*, est une ancienne maison du sud très photographiée, mais cette partie de parc comporte aussi des magasins, des restaurants, des artistes de rue et des orchestres. Point de vue fantastique de l'Island in the Sky ; les fontaines et les statues des environs fournissent de bons arrière-plans pour les photographies, et Whistletop USA abrite une exposition élaborée sur le chemin de fer. Sans aucun doute, c'est pour ses revues magnifiques et excitantes de ski nautique que Cypress Gardens est le mieux connu, mais il faut aussi mentionner un spectacle où les tenants de titres en plongeon pratiquent des sauts incroyables et des démonstrations de nage synchronisée et d'acrobaties aériennes sur skis nautiques. Un autre spectacle (le seul spectacle sur glace permanent dans le sud des États-Unis) présente les plus grands patineurs professionnels dans une revue style Broadway. Entrée gratuite en dessous de 3 ans, sinon, droit d'entrée forfaitaire pour toutes les attractions. Vaut largement une journée de visite. Situé un peu à l'écart de l'US27.

◆ ◆ ◆
DISNEY WORLD
Sans aucun doute l'attraction numéro un de Floride, un parc à thèmes qui ne cesse de grandir. Il couvre une superficie de 13 721,5 hectares ! L'ouverture d'une nouvelle partie des studios Disney-MGM permet aux visiteurs de voir les coulisses des programmes de télévision et de cinéma et de succomber à la magie des effets spéciaux. Une autre addition récente est la **Pleasure Island** — un complexe d'attractions sur une île reliée au Disney World Village par une passerelle. Les plus grandes attractions de Pleasure Island sont ses six night-clubs, mais il y a aussi des restaurants, des snacks, des boutiques proposant toutes sortes de marchandises, un complexe cinématographique de 10 écrans et des animations de rue. Deux des night-clubs, le Mannequins et le Neon Armadillo Music Saloon, sont prévus spécialement pour les plus de 21 ans. Dans le premier, des mannequins, êtres humains ou automates, se mélangent à la foule. Dans le second, de la country dans un night-club rempli de plantes et de néons dont le clou est un grand cactus artificiel supportant une armadille de néon !

Les enfants (s'ils sont accompagnés d'un adulte) peuvent entrer à la Comedy Warehouse et à l'Adventurers Club. Le premier comporte une troupe de comédiens permanente qui fait des improvisations, alors que le second a pris modèle sur les clubs du passé, avec un thème différent dans chaque salle. La Mask Room, par exemple, est décorée d'automates masqués — parmi eux « Co-

Disney World, ouvert en 1971, s'étend sur 13 500 hectares, rivalisant avec Disneyland en Californie

media et Tragedia » — qui conversent entre eux et avec les gens à la manière véritable des personnages de Disney. On peut aller étudier la plupart des effets spéciaux de Disney à la Club Library et au Salon principal, où le « Nauga » (une des créatures animées de Disney) présente aux visiteurs d'autres attractions animées.

Le Sephyr Rockin'Roller Dome est fait pour toute la famille. C'est une structure à trois étages combinant restauration, musique et roller-skate. Ambiance des années 50. Peut-être l'attraction la plus excitante est-elle le disc-jockey, qui se déplace sur les 3 niveaux du club dans une capsule électronique suspendue à une grue.

Videopolis est un night-club prévu pour les 12-21 ans. Les boissons non alcoolisées sont

ORLANDO

uniques et dans les studios voisins, les visiteurs peuvent créer et enregistrer leurs propres vidéos.

Les boutiques de nouveautés longent Chandlery Row ; parmi les restaurants, le Portobello Yacht Club (un restaurant sur le marché servant des spécialités nord-italiennes) et la Fireworks Factory (plus banale, servant des côtelettes grillées et du poulet). Le **Magic Kingdom** reste un favori, ses « lands » continuent d'attirer des millions de visiteurs. On pénètre dans Main Street par des tourniquets, et on découvre des boutiques de souvenirs et de vieux modèles de voitures, dont un trolley à cheval. On arrive ensuite au Town Square, un bon endroit pour déjeuner. Le fameux bastion du Kingdom, Cindarella Castle (le château de Cendrillon), fait partie du Fantasyland, le préféré des enfants. Un carrousel, un vol à la Peter

Les tours du Cindarella Castle, une des meilleures attractions du Disney's Magic Kingdom pour de jeunes enfants

Pan et d'autres transports aériens sont prévus pour les tout petits. Le Small World, où chantent et dansent des poupées qui représentent les enfants du monde entier, est un must, tout comme *Vingt mille lieues sous les mers,* où on a l'illusion d'être dans un sous-marin.

Dans l'Adventureland, le voyage des Pirates des Caraïbes fait passer par des audio-animatroniques fantastiques ; où l'on peut essayer la croisière dans la jungle, un des chefs d'œuvres de Disney. Frontierland recrée le temps des frontières. Voyage du grand frisson ici, dans la Big Thunder Mountain ; les très jeunes aiment le Country Beat Jamboree ; et on trouvera à employer une énergie débordante sur la Tom Sawyer Island.

On peut également bien manger à Liberty Square (on sert des boissons non alcoolisées dans les restaurants du Magic Kingdom), pour assister à la présentation particulièrement ressemblante des Présidents, ou visiter la maison hantée. On peut se déplacer entre les attractions du Tomorrowland ou à l'intérieur de le « people mover » ou encore par un tramway aérien. Une des attractions favorites ici est la Space Mountain, où des capsules de fusées se précipitent vers la base de cônes noirs avec des effets spéciaux — interdit au moins de 3 ans.

EPCOT fait partie de Disneyland mais est une entité séparée avec un droit d'entrée indépendant. Son pavillon le plus récent est celui de la Nor-

vège ; les visiteurs embarquent à 16 sur un bateau viking pour un mystérieux voyage, des scandinaves typiques se promènent dans le village norvégien. C'est la vitrine d'un des nombreux pays de cet ensemble où les pavillons présentent l'architecture de leur pays, vendent des spécialités, font goûter la cuisine traditionnelle et proposent quelquefois des animations. Le pavillon du Royaume-Uni possède un pub (l'alcool est autorisé à EPCOT) ; le pavillon français un restaurant chic, et l'on peut aller voir les danseurs japonais. Parmi ce qui rend le mieux l'atmosphère, on peut citer la structure en pyramide du pavillon du Mexique, avec ses effets de volcan en éruption et les *mariachis* ambulants, et les rues du bazar du pavillon marocain sont bien sûr hautes en couleur. Mais la vitrine du monde n'est qu'une partie d'EPCOT. Le Future World constitue l'autre partie, et le monument argenté que l'on a l'habitude de voir est le Spaceship Earth (le vaisseau spatial Terre), une machine à voyager dans le temps. Tous les pavillons du Future World sont sponsorisés par de grandes compagnies comme Kodak et AT & T et instruisent de manière fascinante, grâce aux expositions interactives et aux effets spéciaux. Le film *Captain EO,* en trois dimensions, montre les aventures de Michael Jackson dans l'espace-temps, au travers du Journey into Imagination par exemple ; une visite dans Horizons donne des aperçus de certains aspects de la vie dans le futur ; et on peut se faire une idée des transports de demain en traversant le World of Motion. Un ticket valable une journée pour le Magic Kingdom donne accès à toutes les attractions, comme le ticket pour EPCOT. Il existe également des tickets combinés.

Mais on n'en a pas terminé avec Disney World. **Fort Wilderness**, un site boisé pour les campeurs, comporte plusieurs installations sportives. Tout près, **Discovery Island**, une oasis tropicale, fait changer de rythme par rapport à tout le reste du parc de Disney ; une réserve pour des échassiers africains, des paons et des ibis écarlates. **River Country** possède une piscine chauffée en plein air et toute une série d'installations. On peut faire un tour en bateau sur le Bay Lake ou le Seven Seas Lagoon. Plusieurs possibilités de location, des bateaux rapides aux canoës ou aux bateaux à ponts. Les amateurs de golf ont le choix entre plusieurs terrains de championnats, et il y a un terrain miniature pour les débutants. Partout, on peut trouver des boutiques, des restaurants et des hôtels. Le Grand Floridian Beach Hotel, récemment ouvert sur le Seven Seas Lagoon, sur la ligne de monorail entre le Polynesian Village et le Magic Kingdom, constitue un centre touristique à lui tout seul. Le nouveau Caribbean Beach Resort, constitué de villages dessinés dans le style des Caraïbes, est prévu pour fournir plus de 2 000 chambres à des prix familiaux.

◆

ELVIS PRESLEY MUSEUM
American Way, Orlando
Dédié au chanteur de rock, ce musée expose quelque 250 objets associés à Presley, des guitares de Graceland et des objets personnels aux voitures et vêtements utilisés dans ses films. Entrée libre pour les moins de 7 ans.

◆

FUN « N » WHEELS
International Drive, Orlando
Pas besoin de payer pour essayer tous les moyens de locomotion de ce parc de 2 hectares. Recommandé pour les jeunes enfants : courses de karts, toboggans aboutissant dans l'eau, autos et barques tamponneuses, une grande roue, une halle vidéo et un mini-golf à 18 trous.

◆ ◆

GATORLAND ZOO
Oui, il s'agit bien d'alligators, et il y en a 5 000 ! Tout autant qu'une attraction touristique, le zoo est un élevage d'alligators à fins commerciales et une installation pour la recherche. Pour ceux qui ont toujours rêvé de pouvoir bercer en toute sécurité un alligator, c'est l'endroit rêvé. On peut aussi caresser un boa, ou emprunter un des sentiers de randonnée qui serpentent dans un marécage à cyprès, pour voir de plus près la faune de Floride. Spectacles spéciaux. Ce zoo a servi de décor pour le film *Indiana Jones et le temple maudit*. Entre Orlando et Kissimmee, prendre l'US441 et suivre les panneaux.

On peut toucher des alligators ou les voir à distance respectable au Gatorland Zoo

◆
HARRY P LEU GARDENS
Lake Rowena, N Orlando
Toutes sortes de plantes exotiques dans ces jardins reposants ; voir le jardin de roses et la serre aux orchidées. Par l'US441.

◆ ◆
KISSIMMEE/ST CLOUD
Une base de vacances idéale à seulement 32 km de l'aéroport international d'Orlando et à courte distance de nombreux parcs à thèmes. La ville naquit en 1978 ; en 1980, l'herbe des Bermudes poussait encore sur Broadway, une des grandes avenues. Aujourd'hui, cette région accueille des milliers de visiteurs. C'est le quartier général de Tupperware (entrée libre). Monument insolite sur Monument Avenue (en ville), construit à l'aide de pierres venant de chaque État. Une des zones les plus caractéristiques, remplie de boutiques et de restaurants, est l'**Old Town**, dessinée d'après le plan d'une ville de Floride au tournant du siècle, on peut y visiter un musée de sculpture du bois, faire un tour sur un vieux carrousel ou prendre une vieille diligence tirée par des chevaux. Dans le centre de la Floride.

◆
LAKE WALES
A l'écart de toute agitation, ce centre propose toutes les activités imaginables autour d'un lac. Connue en particulier pour les **Bok Tower Gardens**, au sommet de l'Iron Mountain, une paisible retraite construite dans le début des années 1900 par l'émigrant hollandais Edward Bok. La tour contient un carillon à 53 coups qui donne des récitals quotidiens. Situé sur le Lake Kissimmee, au centre de la Floride.

◆
MYSTERY FUN HOUSE
Major Boulevard, Orlando
Complexe récréatif avec des surprises dans les 15 salles et le mini-golf mystérieux. Le Florida Sports Hall of Fame s'y trouve également, avec une collection intéressante de souvenirs de gens comme Jack Nicklaus et Steve Garvey.

◆ ◆
ORLANDO
Centre économique vibrant au cœur de la Floride, son nom provoque encore des débats. Certains disent qu'il vient du

héros de Shakespeare dans *As you like it*, et d'autres affirment qu'il a été choisi en souvenir d'Orlando Reeves, un soldat tué par les Indiens à l'emplacement actuel de la ville.

Aujourd'hui, les parcs à thèmes et d'attractions abondent à Orlando et dans la région, surtout sur l'International Drive. La ville possède son propre centre scientifique et artistique et elle accueille de nombreux festivals. Il y a presque 50 parcs et plus de 50 lacs à l'intérieur même de l'agglomération. Grande variété de styles architecturaux (voir Orange Avenue), par exemple le National Bank Building (1929), le Kress Building ou pour l'aspect art déco, le Mc-Crory's Five and Dime (1906). S'arrêter un vendredi à l'Orlando Naval Training Center pour assister au salut rendu aux 50 États lors des remises de diplômes.

◆

REPTILE WORLD SERPENTARIUM
St Cloud

C'était à l'origine un centre de recherche pour la production et la distribution de venins de serpents. Il permet aux visiteurs d'en apprendre davantage sur les reptiles et de les regarder en toute sécurité. A 6 km à l'est de St Cloud par l'Highway 192.

◆ ◆ ◆

SEA WORLD
7007 Sea World Drive, Orlando

L'endroit idéal pour la famille : les spectacles ravissent toujours les enfants. Baleines tueuses, dauphins, lions de mer et otaries sont les étoiles de leurs bassins. Démonstrations de nourrissage, de plongée japonaise pour les perles, combats de requins et présentations de pingouins.

Même les baleines tueuses deviennent des stars dans les spectacles du Sea World

♦
SILVER SPRINGS
Ocala
Une merveille naturelle : sources de 1 890 millions de litres d'eau par jour. Parmi les possibilités récréatives, croisière dans la jungle ou promenade en bateau à fond de verre, voitures de collection ou canoës préhistoriques, parc de daims et le fascinant institut des reptiles.

♦
WATER MANIA
West Highway 192
Une façon de rester au frais par une chaude journée ! Parc qui possède une piscine à vagues dont les toboggans donnent le frisson. 19 hectares, aire de jeux, agréable plage de sable et aire de pique-nique.

♦ ♦
WET « N » WILD
International Drive, Orlando
Ce parc aquatique est seulement à 10 minutes en voiture de Disney World. D'immenses toboggans et une piscine à vagues encouragent les visiteurs de toutes générations à se détendre dans l'eau.

Hébergement
On a l'embarras du choix. Le nombre de motels, d'hôtels, de villégiatures et d'appartements de location disponibles augmente chaque année. Si le Walt Disney World est votre première priorité et que vous n'avez pas loué de voiture, la meilleure solution est d'opter pour un hébergement à Disneyland, avec transport gratuit sur les sites les plus impor-

Aller nager réclame des nerfs d'acier au Wet « N » Wild Park

tants du World. L'immense Contemporary Resort, avec son hall en atrium, où s'arrête le monorail, est le plus proche du Magic Kingdom ; et le Hilton du Walt Disney World Village, sur le Lake Buena est le plus proche d'EPCOT (voir **Que voir ?** ci-dessus) ; de nombreux autres encore à l'intérieur du parc ou juste en bordure, comme l'élégant Cypress Hyatt Regency, qui offre aussi le transport à ses hôtes. Parmi les grands hôtels de luxe de Disney World, il faut également citer :
Disney Inn, située à proximité des terrains du championnat de golf Palm and Magnolia. A l'hôtel luxueux s'ajoutent d'immenses pelouses et des installations sportives. Atmosphère de country-club mais adapté aux familles.

Contemporary Resort, situé sur le Bay Lake près du Magic Kingdom ; ce complexe hôtelier de catégorie A, à 14 étages, avec des ailes nord et sud, est le plus populaire. Le monorail pour le Magic Kingdom arrive dans son hall et la vue est belle de son club, sur la terrasse du « Top of the World ».

Polynesian Village Resort, dans le village polynésien du World, atmosphère des mers du Sud. Les chambres sont situées dans de « longues maisons » ; piscine avec cascade entourée de feuillage tropical, fêtes polynésiennes le soir.

Grand Floridian Resort. 900 chambres luxueuses, hôtel dans le style du début du siècle près du Seven Seas Lagoon.

Caribbean Beach Resort, en construction sur 100 hectares au sud-est d'EPCOT, nouvel hôtel à prix familiaux. Une première partie (786 chambres) est déjà ouverte.

Sur la Highway et dans ses alentours, il y a encore plus de choix. Le Park Inn International, un hôtel dont toutes les chambres sont des suites ; le Ramada Resort, sur la Maingate à l'est du Parkway ; l'Howard Johnson Fountain Park Plaza ; et le Wilson World Hotel se trouvent tous dans le voisinage de Kissimmee et de St Cloud. Nombreux motels économiques, aussi, mais la voiture est recommandée.

Les enfants

On ne pourrait trouver meilleur endroit que cette partie de la Floride, avec ses distractions de toutes sortes. Les musées de cire, zoos d'alligators, aventures en bateau, joutes moyenâgeuses, spectacles de dauphins et revues de ski nautique ne sont que quelques-unes des tentations. La section **Que voir ?** propose un guide des meilleures attractions.

Restaurants

Une multitude de restaurants pour tous les portefeuilles et tous les goûts. Grande variété de restaurants dans la plupart des parcs à thèmes. A Disney World, on peut participer à un repas polynésien, à un dîner sur un bateau, ou à un dîner-spectacle où l'on sert des côtelettes et du poulet grillés ; et à EPCOT, de nombreux pavillons étrangers proposent des spécialités (France, Italie, Mexique...).

Un de nos complexes préférés à Orlando est la Church Street Station, qui propose plusieurs aires de restauration à thèmes avec spectacles. Fort Liberty, à Kissimmee, propose un banquet de l'ouest et des distractions dans le cadre des palissades du fort. D'autres cadres insolites pour manger aux **Medieval Times** à Kissimmee, et à la **King Henry's Feast** à Orlando.

Achats

Boutiques de cadeaux intéressantes sur toutes les attractions des parcs à thèmes, dans le cœur d'Orlando et dans l'Old Town de Kissimmee.

St Pete Beach, un centre touristique relié à la terre ferme par une digue

LES PINELLAS

Quand les explorateurs espagnols contournèrent la pointe ouest de la Floride au début du XVIe siècle, ils découvrirent une région qu'ils appelèrent *punta pinal*, ou pointe des pins. C'est de là que vient le nom Pinellas, qui se réfère à un ensemble de huit stations balnéaires qui s'étendent sur 206 km de sable blanc. Cet immense terrain de jeu sur la côte du soleil a une superficie totale de 680km², de Tarpon Springs au nord à St Petersburg au sud. L'appellation « côte du soleil » est publicitaire, mais les statistiques indiquent une moyenne de 361 jours de soleil par an. Les Pinellas sont devenues récemment une destination synonyme de détente pour les vi-

siteurs étrangers, mais pour les Américains, c'est une destination de vacances depuis des années, depuis qu'Henry Plant a amené le chemin de fer et les voies navigables pour les bateaux à vapeur jusqu'à Tampa dans les années 1880 et ouvert le luxueux Tampa Bay Hotel en 1891. De nos jours, Tampa est un aéroport international desservi par de nombreuses compagnies aériennes dont Piedmont, British Airways, Delta et TWA, et l'hébergement va des grands hôtels sophistiqués et luxueux aux motels, plus abordables en bord de mer. Les Pinellas ont tendance à être moins chères que la « côte d'or » plus connue de l'est (Miami et ses plages de palmiers), et pourtant elles sont tout aussi proches des attractions d'Orlando (Disney World, etc.) et en possèdent aussi. La région est devenue une partie de Floride paisible et tranquille, où les prix sont raisonnables.

Sports nautiques toute l'année. La région est particulièrement réputée pour la pêche, surtout au large, en eau profonde ; saison du tarpon (*Megalops Atlanticus*) vers la fin du printemps et le début de l'été. Installations sportives remarquables dans les grands hôtels.

Dans les Pinellas, on met plutôt l'accent sur la détente, mais la vie culturelle n'en est pas moins très vivante, avec des orchestres, des ballets et des festivals d'art. Le St Petersburg's Bayfront Center et le Clearwater Baumgardner Center pour les arts du spectacle proposent un choix d'activités particulièrement large. Certaines communes ont un air européen — Dunedin, par exemple, où les Écossais s'installèrent en 1870 et où ils célèbrent toujours les Highlands Games chaque avril ; ou Tarpon Springs la grecque. En plus des grands centres touristiques sur la terre ferme, il faut citer les îles de Honeymoon et de Caladesi (voir **Que voir ?** ci-dessous).

QUE VOIR DANS LES PINELLAS ET AUX ALENTOURS

◆
CALADESI ISLAND

L'île, dont le nom signifie en espagnol « beau bayou », est un parc d'état et n'est accessi-

Sables blancs comme de l'ivoire à Clearwater Beach, qui fait partie de la commune de Clearwater

ble que par bateau (privé ou service de ferries). Les yuccas et les palmiers apportent leur grâce à cette île paisible de 700 hectares, au large des côtes de Dunedin. C'est un refuge pour les oiseaux échassiers, mais il y a des installations pour pique-niquer et des possibilités de restauration, un terrain de jeu pour les enfants et 3 km de pur sable blanc. Situé dans le golfe du Mexique, c'est l'endroit idéal pour nager, chercher des coquillages ou pêcher, plonger en scaphandre ou en apnée et étudier la nature — un sentier de 5 km permet d'ex-

pêcher sur la jetée n° 60, qui s'étire dans le golfe, louer un bateau dans la marina ou faire une excursion en mer. Plusieurs possibilités dans ce domaine : excursions/pique-niques sur un vaisseau pirate, et parmi d'autres, dîners dansants à bord. Parmi les événements, la course du Katlua Cup International Yacht. Le **Marine Science Center** est un centre de recherche situé sur le Windward Passage qui organise des expositions naturelles et reconstituées de la vie marine de la région, avec des bébés tourteaux de mer (Sessions de biologie marine de 8 à 16 ans pendant l'été. Cours gratuits mais droit d'entrée).

Le **Ruth Eckerd Hall**, sur la Mc Mullen-Booth Road, appartient au complexe des arts du spectacle, il présente de nombreux spectacles et des expositions régulières d'œuvres d'art dans sa galerie. Le Florida Orchestra y est chez lui et le Florida Opera donne des représentations pendant l'année. Près de l'aéroport de St Petersburg-Clearwater, **Yesterday's Air Force** montre des avions militaires restaurés et des artefacts de l'aviation datant de la seconde guerre mondiale. Puis, si on en a assez de ce qui est artificiel, aller voir le **Moccasin Lake Nature Park**, à l'est de l'US19, où sont représentées la flore et la faune locales. Sentier de randonnée d'1,6 km à travers les 25 hectares du parc et expositions temporaires et permanentes sur la faune à l'Interpretative Center.

plorer l'intérieur. Pour avoir un point de vue sur l'île entière, tour d'observation de 18 mètres.

♦ ♦ ♦
CLEARWATER

On comprendra vite d'où vient son surnom de « Sparkling City » (ville étincelante). Les eaux du golfe étincellent au soleil ; priorité aux sports nautiques dans ce centre de vacances familial. C'est la capitale du comté des Pinellas, qui comprend une commune-ville en expansion et une commune côtière avec une plage de sable de 3 km. Cette plage d'ivoire est l'une des plus populaires et Clearwater est peut-être elle même la commune la plus à la mode. On peut

LES PINELLAS

◆ DUNEDIN

Cette station balnéaire, juxtaposée à Clearwater, a été fondée par les Écossais en 1870 et leur influence sur l'architecture, les noms des rues et, bien sûr, les fêtes, est évidente. De fait, l'endroit s'appelait Jonesboro jusqu'à ce que deux marchands entreprenants fassent une pétition pour que le gouvernement installe une poste pour améliorer les affaires de leur magasin. Ils demandèrent que le village s'apelle « Dunedin », nom qui en gaélique signifie « retraite paisible ». Pour être paisible, ça l'est, sauf peut-être pendant les Highlands Games, moment où les gens sortent leurs cornemuses pour accompagner les danses et les tambours, et où les kiosques vendent des spécialités culinaires et autres d'Écosse. Avant le chemin de fer, Dunedin était un des grands ports de commerce entre Cedar Key et Key West pour les fruits et légumes.

On recommande une visite au **Railroad Historical Museum** sur Main Street, une ancienne gare du réseau de chemin de fer de l'Orange Belt de 1889. Exposition de dessins et de reliques du passé de la commune écossaise.

Parmi les autres monuments de Dunedin, l'Andrews Memorial Chapel et la JO Douglas House.

Entrée gratuite au **Fine Arts and Cultural Center** sur Michigan Avenue, expositions impressionnantes dans la galerie et vente d'objets artisanaux dans la boutique.

◆ ◆ HOLIDAY ISLES

Nom collectif de plusieurs plages des Pinellas : Indian Shores, Indian Rocks, Belleair Beach, North Reddington Shores et Reddington Beach. Les amateurs de navigation peuvent louer des bateaux sur n'importe laquelle de ces plages, qui possèdent 16 km de sable et la jetée de pêche la plus longue du monde à Indian Rocks. La plage d'Indian Rocks est aussi le site de Hamlin's Landing, un complexe de commerces et de restaurants en front d'eau au bord de l'Intracoastal Waterway. On trouve à Indian Shores deux attractions exceptionnelles des Pinellas. Le **Seabird Sanctuary**, qui comprend un demi-hectare près de la plage, est l'hôpital des oiseaux du docteur Ralph Heath. Simple unité de hasard à l'origine, c'est devenu une structure permanente avec son unité opératoire et son unité de soins intensifs, où résident maintenant plus de 40 espèces, avec la plus grande collection de pélicans bruns en captivité. Les oiseaux blessés, semble-t-il, trouvent souvent le chemin de ce refuge, et ceux qui se remettent suffisamment pour pouvoir voler sont relâchés. Le docteur Heath est ordinairement disponible pour répondre à des questions des visiteurs. Pas de frais d'admission ici mais les dons sont les bienvenus, car c'est une organisation à but non lucratif, et les visiteurs sont encouragés à « adopter » un oiseau. Les **Tiki Gardens**, sur le Gulf Boulevard, ont une atmosphère des mers du Sud dans une exposition tropicale de 6 hectares : le long du Polynesian Adventure Trail, on peut observer fleurs, oiseaux, plantes et singes. En outre, boutiques de marchandises du monde entier et un restaurant de spécialités polynésiennes.

♦
HONEYMOON ISLAND
Comme la toute proche Caladesi Island, c'est l'une des îles du golfe du Mexique restée intacte, mais elle est accessible par la Dunedin Causeway. Maintenant parc d'État, elle est propice à toutes les activités en plein air comme la nage, la recherche de coquillages, la pêche, les pique-niques et l'observation de la nature.

♦
LARGO
Deux raisons pour une visite ici. **L'Heritage Park & Museum** sur la 125e rue au nord, possède une collection fasci-

nante de maisons et de bâtiments restaurés au beau milieu d'une forêt de pins. Le musée actuel est la partie centrale, comportant des vestiges de la vie des pionniers au tournant du siècle et des expositions fréquentes d'artisanat. Entrée gratuite.
Sur la rue, les **Suncoast Botanical Gardens** possèdent une grande variété de cactus et de flore locale, avec des eucalyptus pouvant atteindre 26 mètres, des palmiers, de la myrte sauvage et d'autres plantes à fleurs. Entrée gratuite.

♦ ♦
MADEIRA BEACH
Une station balnéaire populaire au centre des Pinellas, elle possède une des meilleures calanques de pêche de l'État, à la John's Pass, pour la grande pêche ou la simple pêche à la

La tradition par le dessin : le village de pêcheurs de la John's Pass, Madeira Beach

ligne. Les visiteurs peuvent louer un bateau et se diriger vers les eaux profondes ou choisir les eaux intérieures de la Boca Ciega Bay — ou simplement jeter une ligne des docks. La **John's Pass Village & Boardwalk** n'est pas seulement le mouillage d'une importante flotte de pêche et de bateaux de location, c'est aussi un complexe imitant un village traditionnel de pêcheurs — avec des boutiques, des galeries d'art et des restaurants au bord de l'eau. De nombreuses manifestations et festivals s'y déroulent pendant l'année. Le village est le point de départ d'un bateau à aubes qui propose des excursions/déjeuners pour admirer le paysage le long de l'Intracoastal Waterway. La plage elle-même, au nord de la John's Pass, possède 4 km de sable poudreux.

◆
SAFETY HARBOR
Cet endroit était bien connu des Indiens et des Espagnols pour ses sources d'eau minérale curatives. A 1,6 km au nord du centre du village, le musée d'art du **Philippe Park** expose des œuvres d'artistes de la région, et un musée d'histoire déploie des artefacts locaux. Le parc, qui domine la baie de Tampa, a été baptisé d'après le comte Odet Philipe, un des chirurgiens de Napoléon qui a découvert le site dans les années 1830 et introduit les premiers pamplemousses.

◆ ◆ ◆
ST PETERSBURG
A la pointe de la péninsule, St Petersburg est la plus cosmopolite de toutes les communes des Pinellas, elle combine les attraits de la ville avec ceux de la plage toute proche de « St Pete ». Bien qu'il y ait peu de restes de l'architecture espagnole primitive, on trouve du style pseudo-espagnol qui est devenu tellement à la mode au moment du boom immobilier en Floride. C'est John Williams, de Détroit, qui fonda St Petersburg en 1876 en y achetant des terres pour les cultiver. Y ayant renoncé, il se lança dans l'urbanisme, avec l'assistance d'un russe exilé, Peter Demens. Celui-ci donna à la nouvelle ville le nom de sa ville natale.

La douceur du climat en fit une retraite d'hiver, surtout pour les personnes âgées, mais aujourd'hui, St Petersburg est une station balnéaire animée et ensoleillée pour toutes les générations, on s'y réfère souvent comme à la « capitale du sud pour la navigation », à cause des myriades de possibilités nautiques. De nombreuses manifestations et régates prestigieuses s'y déroulent chaque année et il est facile de louer des bateaux de tous genres, ou de prendre part à une excursion/déjeuner ou dîner sur la baie de Tampa.

Il y a toujours une plage à proximité — en ville ou à l'extérieur, jamais à plus de 30 minutes, mais les plages ne sont pas le seul attrait de St Petersburg. Manifestations d'athlétisme, culturelles ou autres distractions, souvent au **Bayfront Center**. Courses de greyhounds sur la **Derby Lane** en-

Les plages et la navigation ont fait de St Petersburg une station balnéaire

tre janvier et mai — les visiteurs peuvent manger à la clubhouse qui surplombe la piste, une petite télévision sur chaque table donne les derniers résultats de la course. On danse encore dans la salle de bal du **Coliseum**, qui a vu beaucoup de grands orchestres et des milliers de danseurs sur sa piste d'érable de 1200 m². Parmi les maisons restaurées du **Haas Museum** sur Second Avenue, on découvre Lowe House, une vieille maison de 1850, la maison de Grace Turner, une vieille maison de barbier et un dépôt de forgeron et de chemin de fer. Également sur Second Avenue, l'**Historical Museum** possède des milliers d'artefacts de pionniers et des reproductions des premiers bastions, ainsi que des collections insolites de coquillages, de monnaies, de poupées et de chinoiseries.

Entrée gratuite au **Museum of Fine Arts** sur Beach Drive North, célèbre pour sa collection de peintures impressionnistes françaises, mais ce musée possède aussi une bonne collection d'art européen, américain, précolombien et extrême-oriental. D'autres musées de la ville reçoivent périodiquement des expositions itinérantes et les salles permanentes exposent des antiquités et des meubles historiques. Un des points forts est la collection de photographies de maîtres américains. Visites guidées.

Des représentations spéciales ont lieu entre septembre et mai au **Planetarium**, au St Petersburg Junior College Science Building. Ce théâtre du ciel se trouve sous un dôme immense et le programme des représentations est large. Les amateurs d'art visiteront le **Salvador Dali Museum** sur la 3e rue au sud — la plus grande collection au monde des œuvres de Salvador Dali sous un même toit, si importante que les œuvres sont en rotation constante. Visites guidées. La collection comprend 93 huiles, 200 pastels et dessins, ainsi que 1 000 graphiques, sculptures et objets d'art. St Petersburg a aussi de quoi attirer les amateurs de nature. A partir du **Boyd Hill Nature Trail** du Country Club Way au sud, six sentiers parcourent 108 hectares de beautés naturelles. La faune est fascinante et des visites guidées sont proposées. **Fort DeSoto Park**, accessible par le Pinel-

Signes de renaissance dans l'industrie des éponges à Tarpon Springs

las Byway de l'Interstate 275, au sud de St Petersburg Beach, a été construit pendant la guerre américano-espagnole et se trouve sur Mullet Key, la plus grande des cinq îles qui composent ce parc unique. Fort DeSoto a été construit en 1898 pour protéger la baie de Tampa, mais l'histoire des îles remonte à plus loin que l'arrivée de Ponce de Leon au XVIe siècle. Aujourd'hui, le parc consiste en 450 hectares de terres vierges, de 11 km de plages, de 2 jetées de pêche, d'aires de pique-nique et de camping. Le **Kopsick Palm Arboretum** sur la Shore Drive au nord et la 10e avenue comporte une collection de palmiers d'origine qui poussent dans une portion grandiose

du Northshore Park sur le fameux front d'eau, et les **Sunken Gardens** sur la 4e rue au nord possède plus de 50 000 plantes tropicales et de fleurs toujours épanouies.

On peut se promener dans une volière d'oiseaux tropicaux et voir des milliers d'orchidées rares à Orchid Arbor.

Une attraction insolite était, jusque récemment, mouillée dans le Vinoy Basin : une réplique de l'HMS Bounty, navire du XVIIIe siècle sur lequel Fletcher Christian mena une mutinerie en 1789, construit en 1960 pour le film. Le bateau est maintenant à quai dans la baie de Biscayne.

St Petersburg Beach. C'est une partie de St Petersburg, bien qu'aussi une station balnéaire insulaire, reliée à la terre ferme par une bande de 11 km de sable argenté bordée

d'hôtels, de bars de plage et de restaurants. Elle a sa propre marina, des bateaux de pêche charters et des bateaux-mouches ; jetées de pêche et autres installations sportives ; discothèques et pianos-bars. En cas de mauvais temps, essayez le **London Wax Museum**, un Madame Tussaud transplanté avec une série de célébrités du passé et du présent et une salle des horreurs.

◆ ◆ ◆
TARPON SPRINGS
La plus septentrionale des communes de la côte des Pinellas, à l'endroit où le fleuve Anclote s'élargit en bayous avant d'aller se jeter dans le golfe ; Tarpon Springs a été fondée en 1876. Le nom vient d'une croyance des premiers arrivants selon laquelle les *tarpons (Megalops Atlanticus)* frayaient dans les sources des bayous ; aujourd'hui, on y trouve des rougets. Vers 1905, des pêcheurs d'éponges grecs de Key West vinrent s'installer, convaincus que le golfe du Mexique renfermait de riches et grands lits d'éponges qu'ils pourraient atteindre puisque l'équipement de plongée s'était amélioré. Ils avaient raison, et des plongeurs grecs arrivèrent de plus en plus nombreux, apportant leurs coutumes et leurs traditions.

Dans les années 40, des bactéries marines détruisirent les éponges et les hommes prirent d'autres emplois ou partirent. Mais récemment, il semble que les éponges aient recommencé de proliférer ; le problème est maintenant de

Le chic de 1920 : l'hôtel rose de Don Cesar

convaincre des jeunes de plonger, une activité qui implique de nombreuses heures en mer. Tarpon Springs est encore très grec, cependant, et les magasins sur les docks sont remplis d'éponges de toutes tailles et formes. L'activité économique tourne surtout autour de Dodecanese Boulevard et des **Sponge Docks**, où l'on trouve des boutiques de souvenirs, des night-clubs grecs et des tavernes. **Spongeorama** utilise les diaporamas et des films pour décrire l'histoire de l'industrie des éponges. La **St Nicholas Greek Orthodox Cathedral** vaut aussi une visite, c'est une réplique de la Ste-Sophie d'Istambul, et aussi le lieu de la bénédiction de la flotte à l'Épiphanie. George Innes, le peintre de paysages américain du XIXe siècle, possédait une maison surplombant le bayou, où il travaillait avec son fils. La plus grande collection d'œuvres de George Jr se trouve à l'Universalist Church de Tarpon Springs. Accès rapide à la plage de Tarpon Springs, Sunset, par la digue.

Treasure Island

Au sud de la John's Pass, Treasure Island est une station balnéaire des Pinellas qui possède de 6 km de sable blanc — en fait quelques-unes des plus grandes étendues de toute la côte du soleil. Une affiche publicitaire lança le nom dans le début des années 1900 et la région vit l'émergence de quatre communes en 1955. Elle a encore trois subdivisions : Isle of Capri, Isle of Palms et Paradise Island. Les sports nautiques sont bien sûr la grande attraction : on peut louer des bateaux, des pédalos et des planches de windsurf à l'extrémité sud de l'île ; mais il y a aussi un court de golf, et, sur Paradise Island, un complexe de 21 courts de tennis ouverts au public. Le Pirate Day, le 4 juillet, est la grande fête ici, on simule une invasion pirate pour prendre un trésor.

Hébergement

Il y a des centaines de motels et

des milliers de chambres dans les Pinellas ainsi que des hôtels et des appartements de vacances. Citons deux hôtels historiques : le Belleview Biltmore, une structure victorienne massive ouverte dans les années 1890 qui surplombe le port de Clearwater, et le château à tourelles roses du Don Cesar Beach Resort à St Petersburg Plage, ouvert dans les années 1920. La liste des hôtes dans l'un et l'autre est aussi intéressante que le *Who's Who*.

Parmi les meilleurs également, on peut citer le Sheraton Sand Key Resort (sur la plage de Clearwater) avec une plage privée, des sports nautiques, des courts de tennis éclairés le soir et une Sky Lounge pour se distraire ; et le breckenridge Resort Hotel à St Petersburg Plage, où toutes les chambres sont équipées de kitchenettes et dont le bar avec piscine propose des distractions sur scène. L'Innisbrook à Tarpon Springs est populaire parmi les joueurs de golf, terrain à 63 trous pour les championnats de golf et autres installations sportives et de mise en forme.

Les enfants

Les plages et les sports nautiques suffisent à occuper agréablement les membres les plus jeunes de la famille, mais la région recèle d'autres attractions pour les enfants. Les Bush Gardens et le Dark Continent à Tampa n'est qu'à une demi-heure ou une heure de voiture et sont superbes (voir **Que voir ?**). Le Ringling's Circus Museum à Saratosa est facile d'accès et de nombreu-

ses familles optent pour une journée dans les parcs à thèmes d'Orlando.

Restaurants

Il doit y avoir plus de 1 500 restaurants le long de la côte, de l'endroit élégant pour un dîner aux chandelles au restaurant de tous les jours, et on peut même participer à des excursions-dîners. Les spécialités de la mer sont toujours fraîches et abondantes ; et les côtelettes grillées avec les haricots cuisinés avec des croûtons à l'ail se laissent goûter à la **Hickory Smoke House** à St Petersburg. Une touche britannique très évidente au **Harp et Thistle Pub** (à St Petersburg Plage). Pour un dîner romantique, essayer les bateaux à aubes partant de Hamlin's Landing. Dîners spectacles au **Showboat Dinner Theater** à Clearwater ou au **Royal Palm Dinner Theater** à North Reddington Beach ; nombreuses tavernes grecques avec spécialités authentiques à Tarpon Springs.

Achats

Environ 80 centres et galeries commerciaux dans les Pinellas, mais les boutiques du bord de l'eau sont les plus tentantes pour les promeneurs. On peut également essayer Boatyard Village dans un renfoncement de la baie de Tampa, pour ses boutiques et ses galeries, les boutiques de spécialités d'Hamlin's Landing le long de l'Intracoastal Waterway sur la plage d'Indian Rocks ; ou bien le John's Pass Village à Madeira Beach.

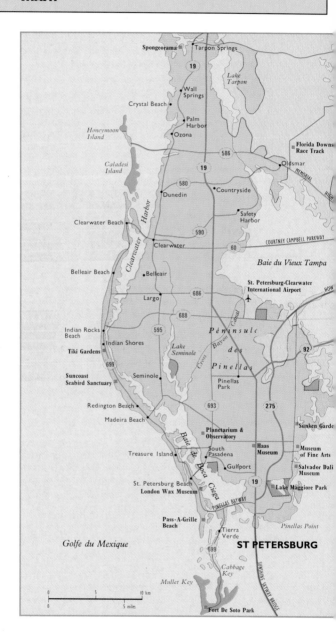

Spongeorama ● Tarpon Springs
(19)
Lake Tarpon
● Wall Springs
Crystal Beach ●
● Palm Harbor
Honeymoon Island
● Ozona
● Florida Downs Race Track
586
(19)
Oldsmar ●
MEMORIAL HIGH
Caladesi Island
580
● Countryside
Clearwater Harbor
Dunedin ●
590
● Safety Harbor
Clearwater Beach ●
Clearwater ●
60
COURTNEY CAMPBELL PARKWAY
Baie du Vieux Tampa
Belleair Beach ●
● Belleair
St. Petersburg-Clearwater International Airport ✈
HOW
Largo ●
686
688
Péninsule
Indian Rocks Beach ●
595
des
Cross Bayou Canal
92
Tiki Gardens ■
Indian Shores ●
Lake Seminole
Pinellas
699
Suncoast Seabird Sanctuary ●
Seminole ●
Pinellas Park
Redington Beach ●
693
275
Madeira Beach ●
■ Sunken Garde
Planetarium & Observatory ■
Haas Museum ■
■ Museum of Fine Arts
Treasure Island ●
South Pasadena
Baie de Boca Ciega
● Gulfport
■ Salvador Dali Museum
St. Petersburg Beach
London Wax Museum ■
19
■ Lake Maggiore Park
PINELLAS BAYWAY
Pass-A-Grille Beach ●
Tierra Verde
Pinellas Point
Golfe du Mexique
699
ST PETERSBURG
SUNSHINE SKYWAY BRIDGE
Cabbage Key
Mullet Key
0   5   10 km
0   5 miles
● Fort De Soto Park

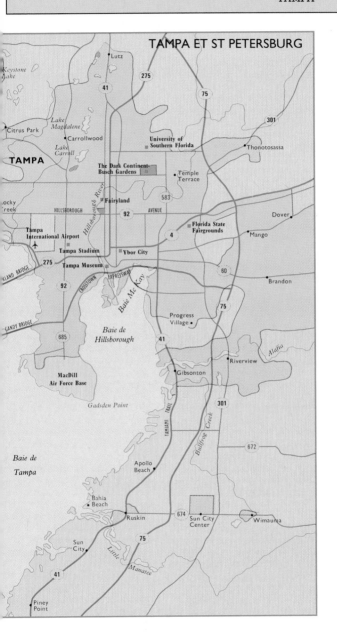

TAMPA ET ST PETERSBURG

Keystone Lake

Lutz

275

41

75

301

Citrus Park

Lake Magdalene

Carrollwood

Lake Carroll

University of Southern Florida

Thonotosassa

TAMPA

The Dark Continent-Busch Gardens

Temple Terrace

Fairyland

583

ocky reek

HILLSBOROUGH

Hillsborough River

92

AVENUE

Dover

Tampa International Airport

4

Florida State Fairgrounds

Mango

Tampa Stadium

Ybor City

275

60

Tampa Museum

92

CROSSTOWN

EXPRESSWAY

Bai de Mc Kay

Brandon

LAND BRIDGE

75

GANDY BRIDGE

685

Baie de Hillsborough

41

Progress Village

Alafia

Riverview

MacDill Air Force Base

Gibsonton

Gadsden Point

301

Baie de

Tampa

672

TAMIAMI TRAIL

Bullfrog Creek

Apollo Beach

Bahia Beach

674

Ruskin

Sun City Center

Wimauma

75

Sun City

41

Little Manatee

Piney Point

TAMPA

Maintenant qu'il y a des vols internationaux directs pour Tampa, la ville est devenue la seconde porte d'entrée en Floride. Avec un aéroport plus efficace que celui de Miami, les stations de vacances des Pinellas à portée de voiture et les parcs à thèmes d'Orlando et des environs tout aussi accessibles, beaucoup choisissent d'arriver par l'ouest plutôt que par l'est. L'aéroport n'est qu'à 15 minutes du port. Tampa est passé récemment au rang des plus grands terminaux d'embarquement pour les croisières — on a dépensé plus de 177 millions de dollars pour approfondir le canal principal du port et la Tampa Port Authority vient d'attribuer 1,3 millions de dollars pour le Garrison Channel Cruise Ship Terminal. On a consacré encore plus d'argent aux terminaux de la ville, qu'on a accompagnés de restaurants, de magasins et d'un hôtel.

Tampa avait été enregistré comme village indien par le premier cartographe Fontenado en 1580 et apparaissait sur la carte de Laet en 1625. Lorsque l'explorateur espagnol De Soto y débarqua en 1539, il appela la baie Espiritu Santo. Tampa devint américain en 1823, et un fort en bois, Fort Brooke, fut construit ; mais quand les troupes le quittèrent pour se joindre à la Confédération en 1861, il fut abandonné avec une population décroissante. Les moyens de communication des années 1880 ramenèrent les gens et le pouvoir à Tampa, ainsi des émigrants espagnols et cubains qui vinrent travailler dans l'industrie du cigare dans la zone appelée maintenant Ybor City. Quand on découvrit du phosphate, le port se révéla fort utile pour l'exportation. Henry Plant comprit le potentiel touristique de la ville et, dans une vive compétition avec les succès de Flagger sur la côte est, fit construire le Tampa Bay Hotel en 1891. De nos jours, on assiste à une résurgence de Tampa comme destination touristique. Ainsi, le nouveau centre des arts du spectacle, un complexe de trois théâtres sur les rives du fleuve Hillsborough, contribue à faire de Tampa un centre d'arts du spectacle important.

D'autres projets sont en cours, en particulier certains travaux sur Harbour Island et la construction du Florida Aquarium à la pointe est.

Tampa favorise les sports et les fêtes. Les Cincinnati Reds et d'autres grandes équipes de baseball y font leur entraînement de printemps et l'automne voit se dérouler les Tampa Bay Buccaneers et le Hall of Fame Bowl. Sur la baie, on peut faire du bateau à moteur, du windsurf ou du petit catamaran. En ce qui concerne les festivals, l'animation est à son comble pendant le Gasparilla Festival chaque année et au moment de la foire de l'État. Pendant la saison des baies, il y a une fête des fraises dans les environs de Plant City et à Brandon un concours de ballons colorés tous les ans.

Les chenilles du Python ont un parcours à faire dresser les cheveux sur la tête aux Busch Gardens

VISITE

◆ ◆ ◆
BUSCH GARDENS/DARK CONTINENT
Busch Boulevard et 40ᵉ Street
Ce parc de 150 hectares sur le thème de l'Afrique attire toutes les générations, proposant des manèges à faire frissonner, des animations sur scène et des spectacles d'animaux. Plus de 3 000 animaux et sept sections sur des thèmes différents. Les

Busch Gardens sont à 13 km de Tampa-Downtown, et à 1 h 15 en voiture d'Orlando. Le centre familial a ouvert ses portes il y a environ 30 ans avec un jardin d'oiseaux et l'auberge-brasserie Anheuser Busch. Aujourd'hui il est reconnu comme l'un des meilleurs zoos américains avec des attractions comme des tours en bateau sur l'African Queen et dans les chenilles Scorpion et Python. Le centre se préoccupe également de la protection et du développement de toute une série d'espèces. Quatre éléphants d'Asie sur cinq à être nés en captivité en Amérique du Nord sont nés aux Busch Gardens, par exemple, et il y a une infirmerie spéciale pour les animaux nouveau-nés, que les visiteurs peuvent observer derrière des vitres.

Les visiteurs entrent dans le parc par la section marocaine et voient les artisans au travail. Dessinée comme une ville marocaine typique derrière ses murs, cette section propose plusieurs spectacles, en particulier au Marrocan Palace Theater de 1 200 places.

La section suivante est Nairobi, qui abrite l'infirmerie des animaux, la gare de chemin de fer de Nairobi, un zoo où on peut caresser les animaux et la Nocturnal Mountain — une exposition d'animaux nocturnes dans un environnement recréé où les visiteurs peuvent observer leur comportement naturel. Dans cette section, une exposition d'éléphants d'un demi-hectare, une reconstitution des habitats naturels de certains animaux. Possibilités de promenades à dos d'éléphant.

On peut visiter la Serengeti Plain en prenant le nouveau monorail, un petit avion, en se faisant tirer par une locomotive à vapeur ou en participant à la promenade de l'ouest. Plus de 500 animaux africains se promènent librement dans une plaine comparable au veldt ; des impalas, des girafes et des zèbres. Depuis peu, il y a un espace pour les éléphants, les crocodiles du Nil, les droma-

daires, les flamants chiliens et les autruches.

Aux Busch Gardens, l'ancien « centre du commerce dans le désert » s'appelle Tombouctou. Les attractions font frissonner — chenilles qui se balancent dans le vide, bateau tanguant, tempête de sable et caravane-carrousel composée de chameaux et de destriers arabes. Cette section propose aussi des spectacles de dauphins dans un théâtre spécial, un bazar pour faire des achats, une halle de jeux électroniques et un lieu où se déroulent des dîners-spectacles sur le

Il faut plusieurs heures pour essayer toutes les activités des Busch Gardens

thème de l'Allemagne. Après cette section, on arrive à celle du Congo, une des plus mouvementées. On peut faire du radeau sur de l'eau écumante, se promener sur le Mamba monstrueux ou se balancer aux lianes. Et, attraction unique, sur Claw Island : des tigres blancs dans leur habitat naturel. Dans les rues animées de Stanleyville, les visiteurs peuvent flâner devant l'artisanat africain, assister à un spectacle de variétés, naviguer sur un tronc d'arbre évidé ou participer à une croisière sur le bateau du dompteur ; on peut aussi observer des oiseaux en liberté aux Bird Gardens, aller voir les bouffonneries des cacatoès, visiter le canyon de

l'aigle, ou encore emmener les enfants vers l'aire de jeu (les parents peuvent finir leur visite aux Busch Gardens par la brasserie, où la bière est gracieusement offerte). Le droit d'entrée pour les Busch Gardens donne accès à toutes les activités du parc. A côté du parc, **Adventure Island** est un autre parc aquatique à thèmes de 6,5 hectares. On peut se promener sur le Rambling Bayou le long du fleuve qui serpente, descendre gratuitement le toboggan typhon de 23 mètres ainsi que d'autres toboggans tous plus effrayants les uns que les autres.

◆ ◆
MUSÉES
Les expositions culturelles et artistiques se renouvellent fréquemment au **Tampa Museum** sur Doyle Carlton Road. De l'autre côté de l'Hillsborough River, l'exotique Tampa Bey Hotel d'Henry Plant abrite l'administration de l'Université de Tampa ; meubles de l'époque victorienne au **Henry Plant Museum**, au bout du hall d'entrée. Près d'Aventure Island, le **Museum of Science and Industry**, qui organise des expositions interactives.

◆ ◆
YBOR CITY
C'est le quartier latin historique de Tampa, avec des balcons en fer forgé, des plazas, des arcades et des terrasses de cafés. C'est parce que Vincente Martinez, dans les années 1800, y a importé de Key West son usine de cigares roulés que

Tampa s'est développé. Des centaines de Cubains furent engagés pour travailler dans les usines. Ils roulaient des cigares à la main pendant qu'un lecteur assis plus haut leur faisait la lecture. L'ancienne usine est devenue l'Ybor Square, une place bordée de boutiques et de théâtres, mais l'**Ybor City State Museum** retrace l'histoire de l'industrie, et on peut y acheter un cigare roulé à la main. (voir aussi la rubrique **Achats**, ci-dessous).

Hébergement
Énormément de grands hôtels et d'appartements meublés à louer. Toutes les grandes chaînes hôtelières sont représentées. Transport par bateau ou hélicoptère pour la station et la marina de Bahia Beach dans la baie de Tampa, une station en pleine activité qui possède une infrastructure hôtelière et sportive.

Les enfants
Les centres d'intérêt des plus jeunes à Tampa sont le parc à thèmes, les Busch Gardens et Dark Continent ; mais Tampa est aussi une base excellente pour se rendre aux autres attractions familiales de Floride — les stations balnéaires des Pinellas ou la région d'Orlando. Un endroit idéal pour bénéficier de deux régions.

Restaurants
Grande variété d'excellentes spécialités de la mer et de points de vue sur la baie. Cuisine cubaine et espagnole à Ybor City, et café noir très fort. Autre quartier populaire pour se restaurer, la place du marché sur Harbour island, où des établissements comme le **Cha Cha Coconuts** et le **Columbia Express** se sont installés.

Achats
Les boutiques les plus insolites se trouvent sur Harbour Island, faciles d'accès, du centre-ville, par le monorail-mover à air conditionné. Sur Ybor Square, les vieux bâtiments restaurés de l'usine abritent de nombreuses boutiques d'antiquités, d'objets d'art, etc.

Les jardins du Kapok Tree, un restaurant près de Tampa

AILLEURS EN FLORIDE

◆ ◆
AMELIA ISLAND
Au nord de Jacksonville
C'est l'île la plus au sud de ce que l'on appelle en Floride des Golden Isles. Située à l'embouchure du fleuve St-Mary, c'est un mélange de clairières, de chênes feuillus, de palmiers, de marais-salants et de dunes de sables mouvants. En 1686, elle s'appelait Santa Maria et il y avait un poste espagnol à Fernandina Beach. Le gouverneur de la Caroline du Sud, James Moore, attaqua l'île en 1702 avec des troupes anglaises et des alliés indiens, prit le poste et détruisit la mission ; tant d'autres attaques se succédèrent que vers 1730, Amelia était presque déserte.

Son nom actuel date du moment où, en 1735, le général James Oglethorpe rétablit un poste et trouva l'île si belle qu'il lui donna le nom de la sœur de George II, la princesse Amélia. Quand la Floride fut restituée à l'Espagne en 1783, une grande partie du territoire fut donnée à Don Domingo Fernandez, et un village fut appelé Fernandina en son honneur. Sa situation en fit un repaire de pirates et de trafiquants au XIXe siècle.

Aujourd'hui, la raison principale d'y faire une visite est le vieux port coloré de **Fernandina Beach** avec le quartier historique restauré où les lampadaires à pétrole éclairent de vieilles maisons victoriennes et où les visiteurs sont invités à poser le coude sur le bar sculpté à la main du saloon du XIXe siècle.

Pour l'aspect historique, voir aussi **Fort Clinch State Park.**
La construction du Fort, prévu comme maillon d'une chaîne commencée en 1847 le long de l'Atlantique, ne fut jamais achevée. Il fut réquisitionné par les troupes confédérées en 1861, puis abandonné à celles de l'Union en 1862, celles-ci l'utilisèrent comme prison. De nos jours, il y a des visites guidées du site et du monument, des activités spéciales et des installations récréatives sur les pelouses.

◆
APALACCHICOLA
Nord-ouest de la Floride
Cette ville proche de l'embouchure du fleuve Apalachicola est presque entièrement entourée d'eau — il n'est donc pas surprenant qu'elle produise environ 90 % des huîtres de l'État. Des centaines d'hectares de parcs à huîtres y sont installés et précautionneusement entretenus. En ville, le centre d'intérêt principal est le **John Gorrie Museum**, qui a pris le nom d'un médecin qui, dans les années 1840, inventa une machine à fabriquer de la glace, ancêtre des machines à air conditionné modernes et du réfrigérateur à compression. Gorrie avait inventé sa machine pour rafraîchir les chambres des patients atteints de malaria mais, bien qu'il eût patenté l'objet en 1851, ne trouva pas d'argent pour le commercialiser. Il mourut en 1855 sans que son œuvre soit reconnue.

AILLEURS EN FLORIDE

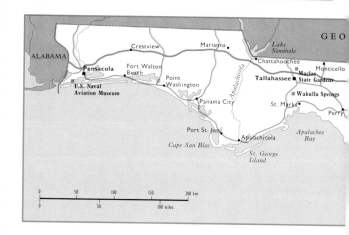

Site historique intéressant, le **Fort Gadsden State Historic Site** dans l'Apalachicola National Forest, autrefois défendu par des Indiens et des esclaves en fuite contre l'armée américaine. On peut pique-niquer dans le parc, pêcher, faire du bateau ou se promener dans la nature. Également dans la forêt, le **St Mark's National Wildlife Refuge**, un paradis pour ornithologues.

L'**Apalachicola Forest** s'étend sur plus d'un quart de million d'hectares, de l'ouest de Tallahassee au fleuve. La faune y est abondante et il y a d'excellents endroits pour camper, pêcher ou nager.

♦ ♦
BOCA RATON
Comté de Palm Beach

Son nom peut bien signifier « bouche du rat », cette station balnéaire sur la côte d'or est animée et charmante, une villégiature privilégiée. Les Espagnols ont donné ce nom au site à cause des nombreux amas rocheux aigus comme des dents qui affleurent sur la côte. Ajoutés aux huttes indiennes aux toits de chaume en forme de dômes, ils lui valurent le surnom de « nids de rats ».

L'architecte excentrique Addison Mizner envisagea de faire de Boca Raton sa ville de rêves dans les années 20 — une Venise américaine, puisqu'à l'époque on creusait un grand canal dans la voie d'accès principale à la mer (de nos jours El Camino Real). La ville servait de port de commerce pour les fruits et légumes pendant l'hiver, jusqu'à ce que Mizner décide de décorer le canal de quais ornementaux et de ponts vénitiens, et de transporter les visiteurs dans des gondoles électriques.

Le rêve de Mizner ne se réalisa jamais entièrement — à cause de la flambée immobilière — mais l'hôtel dont il dessina les plans en 1925 pour en faire

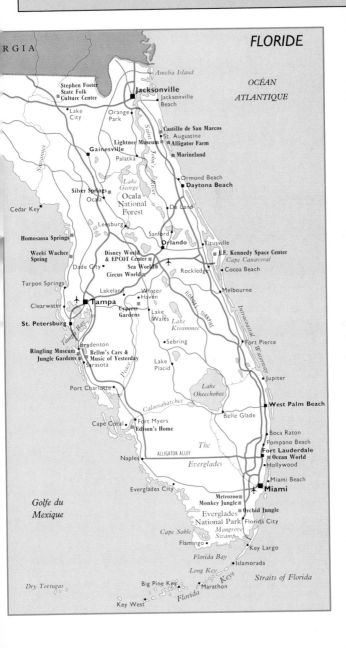

FLORIDE

RGIA

OCÉAN
ATLANTIQUE

Amelia Island

Stephen Foster
State Folk
Culture Center

Jacksonville
Jacksonville
Beach

Lake
City

Orange
Park

Castillo de San Marcos
St. Augustine
Lightner Museum
Alligator Farm

Gainesville

Palatka

Marineland

Silver Springs
Ocala

Lake
George
Ocala
National
Forest

Ormond Beach
Daytona Beach

Cedar Key

Leasburg

De Land

Homosassa Springs

Weeki Wachee
Spring

Dade City

Sanford
Orlando

Titusville
J.F. Kennedy Space Center
Cape Canaveral
Cocoa Beach

Disney World
& EPCOT Center
Sea World
Circus World

Rockledge

Tarpon Springs

Lakeland

Winter
Haven

Melbourne

Clearwater

Tampa

St. Petersburg

Cypress
Gardens

Lake
Wales

Lake
Kissimmee

Tampa Bay

Bradenton

Ringling Museum
Jungle Gardens

Bellm's Cars &
Music of Yesterday
Sarasota

Sebring

Lake
Placid

Fort Pierce

Port Charlotte

Lake
Okeechobee

Jupiter

Caloosahatchee

West Palm Beach

Cape Coral

Fort Myers
Edison's Home

Belle Glade

Boca Raton
Pompano Beach
Fort Lauderdale
Ocean World
Hollywood

Naples

ALLIGATOR ALLEY

The

Everglades

Miami Beach
Miami

Golfe du
Mexique

Everglades City

Metrozoo
Monkey Jungle

Everglades
National Park

Orchid Jungle
Florida City

Cape Sable

Mangrove
Swamp

Flamingo

Key Largo

Florida Bay

Islamorada

Long Key

Keys

Straits of Florida

Dry Tortugas

Big Pine Key

Marathon

Florida

Key West

Peace

St. John's River

Suwanee

FLORIDA'S TURNPIKE

Intracoastal Waterway

La faune au Cape Canaveral National Seashore

« l'hôtel le plus brillant des environs », est toujours là. D'abord appelé Cloister Inn, l'hôtel, agrandi, embelli est devenu le grand et brillant « Boca Raton Hotel and Club ». Depuis, terrains de golf, condominiums, villas et homes de vacances, centres commerciaux et marinas ont fleuri dans les environs. Les restaurants de spécialités, les boutiques de style espagnol, les cafés-théâtres et les polos d'hiver, et bien sûr la plage en font une station splendide.

◆
CAPE CANAVERAL NATIONAL SEASHORE
Cette bande côtière s'étend sur 40 km au sud de la New Smyrna Beach. A l'extrémité sud, la Playalinda Beach se prête à la nage et au surf. Le centre est bien préservé, endroit idéal pour chercher des caouanes et des tortues vertes parmi les dunes et l'avoine de mer. En été, les tortues sortent de l'eau pour pondre leurs œufs. Grimper au Turtle Mound, élevé par les Indiens qui empilèrent des coquillages pendant des siècles.

◆
COCOA BEACH
Centre de la côte Est
Station balnéaire en front d'océan avec des kilomètres de sable blanc bordés d'hôtels, de restaurants et de bars. Voir la **Patrick Air Force Base Missile Display**, où une collection de fusées et d'autres véhicules spaciaux est rassemblée, et le **Brevard Art Center and Museum**, où les expositions

tournent constamment. La commune même de Cocoa se situe de l'autre côté de l'Indian River sur l'Intracoastal Waterway, qui relie à l'Atlantique.

♦

DADE CITY
Une petite commune charmante au sud de Bushnell sur l'US301, Dade City a des airs du Sud avec ses azalées, ses chênes moussus et ses camphriers. C'est l'endroit idéal où faire un arrêt sur le chemin du **Dade Battlefield State Historic Site**, site de l'embuscade des Indiens qui, en 1835, déclencha sept ans de guerres séminoles. Le parc de 40 hectares est un mémorial aux hommes qui furent tués et à leur chef le major Francis Dade. Sentiers de randonnée et aires de pique-nique.

♦

DIANA BEACH
Diana
Plage publique de 3 km ombragée par des palmiers, non loin de Miami. « Centre d'antiquités du Sud », mais s'il reste des trouvailles à faire ce ne sont pas de bonnes affaires ! Pas très loin au nord sur l'A1A, la **John U Lloyd Beach State Recreation Area** est une île partiellement développée avec des endroits pour pêcher, nager et faire du bateau.

♦ ♦

DAYTONA BEACH
Centre de la côte Est
Connue surtout pour son circuit de course international et le Daytona 500, événement capital en février. D'autres grandes courses, dont le Paul Revere 250 et le Firecracker 400 en juillet, et courses de motos en mars et octobre. C'est une grande station balnéaire du centre de la côte Est, dans une région habitée autrefois par les Indiens Timucuans. Le premier pionnier arriva en 1871 de l'Ohio, développa la ville et la surnomma « Day ». Daytona fut choisie pour les courses automobiles en raison de sa plage de 150 mètres de large, avec 23 km de sable blanc. A. Winton y battit le record mondial en 1903 avec 109 km/h, et de nombreux riches amateurs de courses furent attirés par la région.

Daytona est une station de vacances aux distractions multiples ; foires et attractions telles que le Baron Fun Frite's Castle et le Mardi Gras Fun Center en bordure de la plage et de la promenade. Très beau point de vue du haut de la Space Needle à 54 mètres. Le Museum of Arts and Sciences a des collections historiques et un planétarium, et pour ceux qui souhaitent se détendre, il existe des croisières pour l'îlot Ponce de Leon et les îles des environs.

♦

DEERFIELD BEACH
Pas très loin de Boca Raton vers le sud et en bordure de la partie des Everglades qui appartient à la Oxahatchee Recreation Area et où l'on peut pêcher et se promener sur des canots pneumatiques, l'attraction majeure de Deerfield Beach est **Island Park**, une île minuscule dans l'Intracoastal Wa-

terway. De nos jours, c'est l'endroit rêvé pour pêcher et observer les oiseaux, mais ce fut la cachette du gangster Al Capone.

Voir en ville la vieille école restaurée, qui abrite des souvenirs des années 20, et la maison de pionniers construite en bois de pin, un exemple typique de l'architecture « Cracker ».

◆
DE LAND
Centre de la côte Est
Fondée par Henry Deland en 1876, c'est une base parfaite pour les amoureux de la nature qui se dirigent vers les régions sauvages environnantes. Ville charmante aux rues bordées de chênes, De Land accueille de nombreuses manifestations chaque année, dont la plus populaire est le festival des artistes de trottoir, où les participants affluent de tout le pays en mars. L'attrait principal se trouve à 9,5 km au nord : **De Leon Springs**, sources découvertes par Ponce de Leon en 1513. Les sources forment un courant souterrain d'où jaillissent 357 200 litres d'eau à la minute. Elles sont entourées d'une zone protégée pleine d'oiseaux, de sépultures indiennes et d'installations récréatives. Embarquement pour les promenades en bateau sur le fleuve St John non loin de De Land et transport par ferry pour la toute proche Hontoon Island.

◆
DELRAY BEACH
L'attraction majeure de cette station proche de Miami est le **Morikami Park**, avec un sentier de randonnée d'un kilomètre et un musée de la culture japonaise, offert au pays par le dernier survivant de la colonie Yamato, des japonais qui cultivaient les pamplemousses. Le **Loxahatchee National Wildlife Refuge**, avec une zone récréative à ses deux extrémités, n'est qu'à 21 km au nord-ouest.

◆ ◆ ◆
LES EVERGLADES
La pointe sud de la Floride fait presque entièrement partie du parc national des Everglades, qui comprend bien plus d'un demi-million d'hectares de marécages et d'herbes folles laissés à la faune et en grande partie vierges. De fait elle n'a pas été explorée avant le milieu du XIXe siècle, moment où les soldats furent envoyés à la recherche des derniers Séminoles, et jusqu'à ce que certains tentent de revendiquer le marais en 1903.

Il y a plusieurs façons d'apprécier les Everglades, mais la région est vaste : il ne faut pas espérer en voir plus d'une petite partie. Des excursions touristiques sont organisées à partir des principaux centres de vacances de Floride mais il y a une carte gratuite pour les voyageurs indépendants au Visitor Center, à l'entrée principale. Pour le confort des automobilistes, une route pavée traverse le cœur du parc et s'arrête à Flamingo. S'arrêter de temps en temps pour emprunter les sentiers — mais ne pas les quitter car certaines parties des Everglades sont

*L'anhinga, ou « oiseau à serpents »,
prend un bain de soleil chez lui, dans
les Everglades*

restées inexplorées et l'on rencontre des alligators ! Les amateurs de randonnée peuvent atteindre à pied le centre du parc, mais le moyen le plus agréable de voir cette forêt vierge de palétuviers est le bateau : canoë, canot pneumatique ou même petite péniche. Seulement une partie de la Pahokee River (nom indien qui signifie eau herbeuse) traverse les Everglades. Un ingénieur en chef anglais appela la région « River Glades » mais « ever » s'y substitua et le nom

est resté depuis le XIXᵉ siècle. La richesse de la région en oiseaux, animaux sauvages, végétation et cours d'eau en a fait un des plus grands trésors nationaux de l'État. Il y aurait 600 variétés de poissons, 300 espèces d'oiseaux, des mammifères innombrables et 45 espèces de plantes de la région. On apprend à reconnaître des figuiers étrangleurs, des tantales, des orchidées géantes et des gummifères, si on prend le temps d'explorer. Des *hammocks* — petites îles d'arbres de bois dur et d'arbustes — sont disséminées dans les marécages, les sols les plus épais et surélevés ont probablement été provoqués par les chênes, les cocotiers et les pommiers, alors que les cyprès constituent la végétation de base du sol inférieur. Les visiteurs qui entrent par la porte sud (là où se trouve le Royal Palm Visitor Center) atteindront rapidement Long Pine Key, où il y a un sentier de grande randonnée de 11 km et des aires de camping et de pique-nique. Ceci mène à la tour d'observation Pa-hay-okee et à l'*Hammock Trail,* bordé d'acajous. Ceux qui se déplacent en canoë peuvent tenter le *Noble Hammock Trail* mais on ne devrait aborder le *Hell's Bay Trail* qu'avec de l'entraînement. Même les moins hardis peuvent profiter des sentiers

Des chemins surélevés permettent des vues rapprochées de la vie sauvage dans les Everglades

de randonnée. L'*Anhinge Trail,* par exemple, qui a pris le nom d'un des oiseaux de la région, consiste seulement en 2,5 km de chemins aménagés sur l'herbe folle, et le *Gumbo Limbo Trail,* à côté, ne dépasse pas un kilomètre à travers le hammock. Le *Pineland Trail,* par ailleurs, a une longueur de 10,5 km — mais il permet de dénicher quelques-unes des orchidées de l'endroit ; le *Pahay-okee Trail,* de 20 km, demande de la résistance.

De nombreux visiteurs des Everglades se dirigent vers la partie touristique de Flamingo où l'on trouve actuellement des hôtels, des magasins et une marina, bien que Flamingo fut encore, il n'y a pas si longtemps, un petit village de pêcheurs accessible uniquement par bateau. Une façon d'explorer sans peine les environs est de trouver une excursion en bateau qui passe par Coot Bay et longe Buttonwood Canal, puis de visiter Tarpon Creek avant d'atteindre Cape Sable, où l'on peut descendre à terre et prendre le Train Sauvage qui traverse les forêts de palétuviers et le Snake Bight Trail. Visites du parc par le tram de Shark Valley et embarquement pour les visites touristiques en bateau des Dix Mille Iles près d'Everglades City. Ces îles de palétuviers (une véritable forêt vierge) se trouvent au large de la côte de Marco Island, elle sont formées de coquillages, de bois mort et d'algues coincées dans les racines des palétuviers. De nouvelles îles ne cessent de se former.

Les canaux et les îlots parsèment Fort Lauderdale

◆ ◆ ◆
FORT LAUDERDALE
Sud-est de la Floride

La « Venise d'Amérique » a des airs de Côte d'Azur, grâce à ses 265 km de lagons, canaux et rivières et à ses plages immenses sur l'Atlantique. Elle a pris le nom du Major William Lauderdale, qui y construisit un fort en 1838 pendant les guerres séminoles ; c'est aujourd'hui une station de vacances animée. Les touristes y viennent depuis très longtemps, peut-être à cause de l'abondance de bars, salles de jeux et lupanars, car la ville était autrefois surnommée « ville du péché ». Les trafiquants de rhum y apportaient de l'alcool des Bahamas pour entretenir la bonne humeur des premiers touristes. Dans les années 50, une bonne partie des touristes étaient étudiants, ce qui a contribué à donner à Fort Lauderdale son ambiance jeune. On peut y pratiquer tous les sports nautiques auxquels on peut rêver, y compris la plongée et la nage avec tuba dans les récifs du large. C'est probablement la navigation qui est la plus populaire, et les infrastructures de location de bateaux et de voile sont excellentes. Une des meilleures façons d'aller admirer les paysages est de monter sur un de ces bateaux démodés qui descendent le fleuve — par exemple pour une croisière-dîner. Les croisières du **Jungle Queen** partent du Bahia Mar Yachting Center pour des excursions d'une journée ou d'une soirée ; le soir, on joue des vaudevilles ou on chante

pour distraire des voyageurs.
Dans la journée, la promenade
passe par le Millionaire's Row
et les passagers peuvent faire
un tour au village des Indiens
Séminoles. Les promenades
du **Paddlewheel Queen** partent au sud du pont de la plage
d'Auckland Park et proposent
également des promenades
d'une journée ou d'une soirée.
De fait, Fort Lauderdale est la
capitale d'une sorte de paradis
intérieur des navigateurs qui
s'étend sur le comté Broward.
Ils tendent, dans cette partie
de l'Intracoastal Waterway, à
se consacrer entièrement à la
vie sur l'eau, mais d'autres
peuvent en faire une expérience plus courte sur n'importe
quel type de vaisseau. Pour
apercevoir les bateaux les plus
luxueux, on peut aller sur la jetée 66 dans la marina ou à Bahia Mar. Mais l'eau est à l'origine d'autres attractions. Les en-

A l'ancre à Fort Lauderdale

fants apprécieront l'**Ocean World** sur la 17e digue au sud-est, ils y admireront les requins, les lions de mer, les tortues, des spectacles de dauphins et un oceanarium présentant certains habitants des profondeurs. L'**International Swimming Hall of Fame** (juste à côté de la plage), accueille les compétitions entre collèges mais abrite aussi les souvenirs de nombreuses nations.
Les restaurants de ce quartier offrent quelques-unes des meilleures spécialités de la mer, fournies par l'Atlantique et le golfe du Mexique. Vaste choix d'hôtels et de magasins. La tradition consiste à faire des achats sur Las Olas Boulevard, qui s'étend sur environ 2,5 km à partir du centre ville.
Les parcs régionaux et d'État sont innombrables aussi. Le plus proche, le **Hugh Taylor Birch State Park**, fait face à l'océan — 60 hectares de splendeur naturelle. Dans le secteur historique le long de New River, on peut visiter **Himmarschee Village**, une école à une seule salle de classe et la maison de King Cromartie, meublée dans le style du tournant du siècle.
La maison des premiers pionniers blancs à Fort Lauderdale, **Stranahan House** sur Las Olas Boulevard, a été transformée en musée historique. Mais le musée à ne pas manquer est le **Discovery Center**, construit en 1905 à la New River Inn, c'est maintenant un musée interactif et un centre scientifique particulièrement attrayant pour les enfants. Les amateurs

d'art devraient se diriger vers le **Museum of Art**, ouvert en 1986 sur Las Olas Boulevard. Collections permanentes qui comprennent une des plus grandes collections d'art océanien, ouest-africain, précolombien et d'art des Indiens d'Amérique.

Le meilleur moyen de faire connaissance avec la région est de participer au parcours de 29 km du **Voyager Train**, qui traverse les quartiers résidentiels et Port-Everglades et prend ses passagers au sud de Seabreezze Boulevard. En partant de ce boulevard, possibilité de prendre des gondoles à moteur, avec ou sans guide.

◆

FORT PIERCE

Située sur l'US1 et la Florida 68 sur la rive ouest du fleuve salé indien (en réalité un lagon), Fort Pierce peut servir d'étape sur la route du Cap Canaveral. Pour se détendre, quatre plages publiques, l'îlot de **Fort Pierce** et la **St Lucie Museum State Recreation Area**, qui a aussi sa plage. Le musée contient des trésors des profondeurs ; pour des expositions d'artefacts indiens, visiter le **St Lucie County Historical Museum** sur la Seaway Drive.

◆

FORT WALTON BEACH

En se promenant sur ce terrain de jeux très animé situé au nord-ouest, il est difficile de croire que les ours noirs y étaient plus nombreux que les gens en 1910 ! Aujourd'hui, les visiteurs ont davantage besoin d'une canne à pêche que d'un fusil — les eaux regorgent de poisson. La jetée publique de pêche et d'observation s'étend dans le golfe du Mexique sur plus de 305 mètres et on peut pêcher au moulinet, au surf ou en eau douce. Les yachts aussi constituent un des sports principaux — de nombreuses régates ont lieu à Fort Walton Beach.

Au centre de cette station balnéaire, l'**Indian Temple Mound Museum**, un vestige national qui retrace plus de 10 000 ans d'histoire dans la région de la baie de Choctawhatckee à l'intérieur du golfe du Mexique. Au nord-est de la ville, l'Eglin Air Force Base organise des visites de l'**Air Force Armament Museum** ; et de l'autre côté du pont, sur Okaloosa Island, se trouve le **Gulfarium**, où l'on peut voir des spectacles de marsouins et de lions de mer et étudier la vie marine de très près.

◆

GAINESVILLE

Étape possible sur la route de Jacksonville, Palatka ou Ocala, cette ville aux nombreux collèges est à mi-chemin entre l'Atlantique et le Golfe. On lui a donné son nom pour honorer le général Gaines, qui a commandé lors des guerres séminoles — un nom sans doute plus attrayant que l'ancien Hog Town (ville du pourceau) !

Aujourd'hui, c'est un centre agricole et universitaire important (une académie s'y est installée en 1867). Une bonne partie de l'activité est liée au campus de ce que l'on appelle

Les vestiges de Yulee Sugar Mill, construit il y a plus d'une centaine d'années

maintenant l'Université de Floride, ainsi l'**Art Gallery** et la **Teaching Gallery**. La **Lake Alice Wildlife Preserve**, à une extrémité du campus, vaut une balade.

◆
HOLLYWOOD
Cette station balnéaire proche de Fort Lauderdale fait partie du comté Broward. Boutiques de souvenirs, cafés et restaurants, alignés sur l'Hollywood Beach Boardwalk, surplombent l'océan mais l'attraction familiale principale est le **Six Flags Atlantis**, un parc à thème aquatique : immenses bassins avec des vagues, toboggans, chutes et un lac de 5,5 hectares. Le droit d'entrée comprend tout, y compris des animations sur scène et les spectacles de ski nautique. Pour se détendre, faire une visite à la **Topeekeegee Yugnee Recreation Area**, un parc autour d'un lac avec canoës et pédalos à louer, pistes cycla-

bles et aires de pique-nique ;
ou bien essayer les manèges et
installations sportives du tout
nouveau **CB Smith Park**.

◆
HOMOSASSA SPRINGS
Une destination idéale pour la
famille, à 3 km d'Homosassa
(un nom indien qui signifie
« l'endroit où poussent les arbres à poivre »). On peut s'y
promener dans des jardins botaniques, visiter l'observatoire
sous-marin ou faire des excursions en bateau à pont le long
des cours d'eau de la jungle
tropicale. Les sources naturelles proviennent d'une nappe
profonde et déversent 266 000
litres d'eau/minute pour former un aquarium naturel.
Assister au moment de la journée où on nourrit les alligators
et les hippopotames.
A l'ouest des sources, sur
l'US19, le parc d'État de **Yulee
Sugar Mill Ruins**, qui faisait
autrefois partie d'une plantation de 2 500 hectares, propriété de David Yulee, le premier sénateur de Floride aux
États-Unis. Au sud d'Homosassa, le **Chassahowitska National Wildlife Refuge.**

◆ ◆
JACKSONVILLE
La ville la plus importante et la
plus commerciale du nord-est,
qui a été baptisée d'après le
président Andrew Jackson, est
sise sur les rives du fleuve St
John. La **River Walk**, agréablement bordée de restaurants
et de magasins, s'étend sur un
peu plus d'1,6 km.
Ce fut un des premiers camps
des Français et des Espagnols

dans l'État et ils y construisirent des forts. Les murs du Fort
Caroline ont été reconstruits
sur le site original du XVIᵉ siècle, sur les actuels Fort Caroline Road et **Fort Caroline National Memorial**.
Jacksonville n'a jamais cessé
de prospérer ; les marins remplirent ses bars sur Bay Street,
et leurs schooners remplirent
le port au XIXᵉ siècle, elle devint une station d'hiver populaire après 1863, à l'époque où
le premier théâtre et les premiers hôtels ouvrirent. Plusieurs théâtres en ville de nos
jours, ainsi qu'une troupe de
ballet et un orchestre sympho-
nique actif toute l'année.
En ville, la Friendship Park
Fountain est illuminée le soir et
son jet atteint une hauteur de
36 mètres. Nombreux musées
intéressants à Jacksonville : la
Gummer Gallery of Art possède une des meilleures collections de porcelaines de tout
l'État, ainsi que des expositions d'art moderne. Une autre
bonne collection de contemporains au **Jacksonville Art
Museum** sur Boulevard Drive ; le **Jacksonville Museum
of Arts and Sciences** organise
des expositions intéressantes
pour les jeunes, son planétarium est le cadre de spectacles
astronomiques et de concerts
cosmiques combinant lasers et
musique rock ou classique.
Le **zoo** de la ville, au 8605 Zoo
Road, est recommandé aux enfants ; environ 700 animaux
exotiques ou de la région vivent dans leur habitat naturel
dans ce parc de 32 hectares.
Les adultes peuvent aller observer gratuitement le brassa-

Le vent et le sable ont créé par érosion ces « alligators » de pierre déchiquetée, sur la Blowing Rocks Preserve de Jupiter Island

ge et la mise en bouteilles, et goûter le produit final, à la **Anheuser-Busch Brewery** (brasserie) sur Busch Drive. À **Jacksonville Beach**, le village de vacances de Jacksonville, on peut faire du shopping, dîner et pêcher sur la jetée et la promenade.

♦
JUPITER
Sud-est de la Floride
Ancienne patrie de l'acteur Burt Reynolds, c'est un endroit excellent pour le windsurf, et plusieurs compétitions internationales y ont lieu. Excellent point de vue de la **Jupiter Lighthouse** (phare), un bastion de briques rouges surplombant l'îlot de Jupiter et le Gulf Stream. Le phare est toujours opérationnel mais on y a aussi installé un petit musée qui contient des souvenirs locaux. Le front d'eau est le meilleur endroit pour choisir un restaurant. Endroits paisibles pour observer la faune au nord de Jupiter : accès au **Hobe Sound National Wildlife Refuge** par l'US1 — les tourteaux de mer font leurs nids sur la plage et il y a des sentiers de randonnée. Dans le **Jonathan Dickinson State Park**, proche, on peut embarquer pour des promenades sur le fleuve et louer des canoës, bicyclettes et cabines. Le parc a été baptisé du nom de J. Dickinson, naufragé à cet endroit en 1696 et qui réussit à survivre jusqu'à ce que les Indiens l'emmènent et qu'il s'échappe pour St Augustine.

♦ ♦
MARCO ISLAND
Une île du large qui est devenue un centre animé de la côte ouest sans perdre son charme. Discrète, elle n'en possède pas moins de grands hôtels et des villas, des magasins, des plages immenses et une faune intéressante, ainsi que le « Marco Moo Trolley ». L'île était

peuplée d'Indiens Calusa de 500 avant J.-C. jusque 1700, et d'importantes découvertes archéologiques y ont été faites. Une autre raison d'y aller est la proximité des Everglades et des Ten Thousand Islands.

◆
MONTICELLO
Nord-ouest de la Floride
Ceux qui ont un penchant pour le Sud profond aimeront cette ville, qui a pris le nom de la maison de Thomas Jefferson en Virginie. Fondée au début du XIXᵉ siècle par des planteurs de Géorgie et de Caroline, elle reste une région agricole. Les visiteurs viennent y admirer les maisons et les plantations d'avant-guerre, dont la plus célèbre est **Bellamy**, sur la State 133. John Bellamy fut un des nombreux planteurs de Caroline du Sud à s'installer dans cette partie de la Floride, mais il dessina les plans de Jacksonville et devint un des hommes les plus riches des États-Unis.

◆ ◆
OCALA NATIONAL FOREST

Ces centaines d'hectares à l'état sauvage ont été surnommés le « Big Scrub » (« le grand maquis ») à cause des nombreux pins de sable. Située à l'est d'Ocala (une région renommée pour ses élevages de chevaux) et s'étendant de la région d'Oklawaha au fleuve St John, la forêt abrite des centaines de daims et ses ruisseaux sont le paradis des pêcheurs.

Deux bases récréatives : Juniper Springs, à 42 km à l'est d'Ocala sur la State 40, d'où jaillissent 192 millions de litres d'eau chaude chaque jour et Alexander Springs, à 26 km au nord d'Eustis en retrait de la State 19, avec 266 millions de litres d'eau chaude par jour. Deux endroits de rêve pour nager et faire du canoë.

◆
OSCEOLA NATIONAL FOREST

Cette forêt coûteuse offre 78 500 hectares pour camper, pêcher ou explorer. L'Ocean Pond constitue une des meilleures bases, mais on peut aussi choisir Lake City en bordure de la forêt. C'est à Osceola que se trouve l'**Olustee Historic Battlefield Site**, où a eu lieu la seule bataille significative sur le sol de Floride. Y aller en février, quand les gens viennent de tout le pays, costumés, pour rejouer la victoire confédérée de 1864.

◆ ◆
PALM BEACHES

Palm Beach et sa voisine West Palm Beach sont toutes les deux des stations balnéaires réservées à l'élite sur la côte d'or de la Floride. Ce sont des destinations pour hédonistes nantis. Ce n'est qu'au moment de la guerre que la première maison fut construite à Palm Beach — par un administrateur rusé — et vers 1873, il n'y avait pas plus de quatre familles. C'est probablement à l'occasion d'un naufrage, en 1878, à un moment où l'on commença à y cultiver des cocotiers, que ce site passé inaperçu fut remarqué pour la première fois. L'apparence luxuriante de Palm Beach peut être attribuée à Addison Mizner, qui dessina des maisons de style méditerranéen pour les gens aisés — et, de fait, développa une nouvelle industrie dans la région pour produire les tuiles brillantes qu'il désirait. La réputation élitiste fut, quoi qu'il en soit, apportée par Henry Flager, le promoteur du chemin de fer, qui fit de Palm Beach un terrain de jeu pour sa famille et ses riches amis. Son hôtel, pionnier du genre, le Royal Poinciana, devint rapidement à la mode dans la bonne société de Philadelphie et ce succès mena à la construction d'autres propriétés opulentes et clubs exclusifs. Le palais de marbre blanc de Flager sur Whitehall Way, en retrait de Coconut Row, devenu le **Henry Morrison Flager Museum** est restauré dans sa grandeur de 1901 et la voiture de chemin de fer privée de Flager, le « Rambler », est également exposée. A West Palm Beach, la **Norton Galle-**

La maison qu'Henry Flager fit construire pour sa troisième femme à Palm Beach (ci-dessus ; détail à droite) a été transformée en musée et a pris le nom de Mogol

ry of Art sur la South Olive Avenue possède une très belle collection de jades ; et dans le **South Florida Science Museum** sur le Debrer Trail, les expositions du Discovery Hall sont interactives ; exemples de vie sous-marine dans l'aquarium ; planétarium.

Avec des enfants, aller au **Lion Country Safari** en descendant le Southern Boulevard vers l'ouest ; les gros félins et autres

spécimens de la faune africaine s'y promènent en liberté. Tours à dos d'éléphants et en bateau, terrains de camping et centre hôtelier. Au **Dreher Park Zoo**, sur Summit Boulevard, animaux, jardins et sentiers de randonnée.

Palm Beach est renommée pour ses hôtels de luxe, comme les « Breakers », et les grands magasins de luxe qui bordent Worth Avenue au cœur de la ville. Les gens en vue viennent aux matchs de polo — le British Royalty a joué au *Palm Beach Polo and Country Club* — et sont emportés dans un tourbillon de Rolls Royce et de Bentley.

♦
PANAMA CITY

A environ 160 km à l'est de Pensacola sur la baie de St Andrew, c'est non seulement un port commercial actif, mais aussi une station balnéaire importante et animée. Les enfants aiment le **Miracle Strip Amusement Park** qui s'enrichit de nouveaux manèges et attractions chaque année et possède un zoo. Au **Gulf World**, plusieurs spectacles quotidiens et expositions sous-marines, et au **Snake-A-Torium**, on peut tout apprendre sur l'extraction du venin et se promener dans un jardin tropical. Parmi les autres attractions, **Shipwreck Island**, un parc aquatique à thèmes, et **Mystery Castle**, un musée de cire avec des stars de films d'horreur ; superbe point de vue de la tour (62 mètres) à Miracle Strip.

Pour une merveilleuse excursion d'une journée, participer à l'une des promenades en bateau qui partent de la jetée du Captain Anderson et de la marina de Treasure Island pour **Shell Island**, une île où l'on peut chercher des coquillages, prendre des bains de soleil, plonger ; ou faire un tour à la **St Andrew Recreation Area**, où l'on trouve de grandes plages, des dunes et une vie sauvage. Une cabane de pionnier ou de « cracker » ainsi que des sentiers de randonnée et de nombreuses installations sportives.

Hébergement du camping aux villas luxueuses et chambres d'hôtels avec cuisines. Parmi des lieux de shopping, une galerie creusée dans la « montagne », Alvin's Magic Mountain, avec aussi des restaurants et des salles de jeux.

♦ ♦
PENSACOLA
Nord-ouest de la Floride

On l'appelle la ville « aux cinq drapeaux », car Pensacola a été sous la domination de cinq drapeaux différents depuis 1559, avec 17 gouvernements en 300 ans. C'est une des villes de Floride les plus importantes historiquement, bien qu'elle soit devenue un centre industriel florissant avec une base navale et un grand port fermé naturellement au nord de la baie. Le Bayou Texar à l'est et le Bayou Chico à l'ouest sont deux larges bras de mer qui s'enfoncent à l'intérieur des terres de chaque côté de la Péninsule de Pensacola. Le nom actuel de la ville pourrait venir du port espagnol Peniscola ;

certains historiens pensent qu'il dérive des mots indiens *panshi*, qui signifie la chevelure, et *okla*, les gens — surnom des gens qui vivaient là autrefois et portaient les cheveux longs. L'histoire et le patrimoine sont les attractions d'aujourd'hui, particulièrement dans le **Pensacola Historic District**, où les visiteurs se promènent parmi les maisons restaurées, les galeries d'art, les boutiques d'antiquités et les musées. La plus vieille église de Floride est devenue le **Pensacola Historical Museum** sur la South Adams Street et la plus vieille maison d'arrêt de la ville a été transformée en un **Museum of Art** sur South Jefferson.

Le **North Hill Preservation District** est particulièrement intéressant : les maisons et autres bâtiments des XVIIIe et XIXe siècles y ont été restaurés. **Seville Square**, aussi, mérite une visite, avec des restaurants et des magasins spécialisés disséminés parmi les maisons historiques. L'ancienne place de la ville dans le quartier historique était la Plaza Ferdinand. Une maison unique près de la place : Walton House, dessinée dans le style des Indes occidentales françaises. A quelques minutes, se trouve le **West Florida Museum of History**, et, de l'autre côté de la rue, le **Transportation Museum** qui ressemble à une rue de Pensacola au tournant du siècle : pavée de briques et flanquée de trottoirs de bois, avec un trolley, une station service et plusieurs petits magasins vendant des mar-

chandises venant du « vieux monde ». De l'autre côté de la Plazza Ferdinand, à l'intérieur de l'hôtel de ville de Pensacola, le **TT Wentworth Museum** — le premier musée de la région à réunir une collection de plus de 30 000 items d'intérêt historique local.

A l'ouest de la ville, se trouve la Naval Air Station, où les premiers pilotes volants de la Navy étaient entraînés avant la première guerre mondiale. Des plans pour des visites autoguidées mènent les visiteurs au **Naval Aviation Museum**, où sont exposés des avions de guerre, des souvenirs de l'aviation et un module de capsule spatiale de la conquête de l'espace ; Sherman Field, maison de l'équipe de cascadeurs les Blue Angels ; les modèles de combat de l'USS Lexington (si disponibles) ; le fort espagnol du XVIe siècle, Fort San Carlos de Barrancas, qui appartient à la Gulf Islands National Seashore ; et l'ancien phare de Pensacola. De l'autre côté de la baie, sur Santa Rosa Island, plages de sable blanc poudreux et vie nocturne intense à **Pensacola Beach. Fort Pickens**, à la pointe ouest de l'île, a été le théâtre de batailles lors de la guerre civile et fait maintenant partie de la Gulf Islands National Seashore, une bande de 240 km d'îles et de keys, dont beaucoup sont protégés par l'État. On peut observer la nature — et même se trouver une plage déserte (recommandé pour les surfeurs). Pour une vue étonnante sur Santa Rosa Island et le golfe, grimper sur

la tour d'observation de la **Big Lagoon State Recreation Area**, un parc populaire et boisé pour les vacances d'été avec un auditorium en plein air où l'on donne des concerts. Sur **Perdido Key** restée à l'écart de la pollution, on peut passer une journée tranquille sur Johnson's Beach.

◆
POMPANO BEACH
Facilement accessible de Fort Lauderdale, cette station balnéaire possède son propre choix d'hôtels, de restaurants et de night-clubs. Nombreux magasins concentrés autour de Fashion Square et de la 23e rue, une galerie paysagère ornée de sculptures. On peut aussi essayer l'Ocean Side Center, à quelques mètres de la plage. Parmi les activités proposées aux familles, un toboggan aquatique, au nord de Fashion Square — la première glissière aquatique montagneuse de Floride.

La maison la plus vieille des États-Unis : la maison de Gonzalez-Alvarez, à St Augustine

gré une campagne très dure menée par Sir Francis Drake en 1586, les Britanniques ne la prirent qu'en 1763, après quoi de grandes plantations y furent établies. St Augustine devint finalement une station balnéaire d'hiver, développée par Henry Flager. Après 1900, sa population d'origine fut submergée par les immigrants européens, particulièrement ceux de l'île de Minorque. On encourage les visiteurs à parcourir la ville dans les calèches ou en train touristique, et éventuellement à participer à une promenade en bateau sur le front d'eau. Dans le vieux quartier, San Augustin Antiguo (le premier nom de la ville), des artisans costumés montrent les techniques d'antan et les rues étroites et les bâtiments restaurés témoignent du passé espagnol. Il n'y a pas de meilleur endroit pour commencer une visite que le **Fountain of Youth Park** sur Magnolia Avenue, un mémorial à Ponce de Leon, qui vint en Floride pour trouver l'eau de jouvence. Le vieil hôtel Alcazar de Flager, sur King Street, est devenu le **Lightner Museum**, il abrite de superbes vitraux de Tiffany ainsi que des instruments de musique mécaniques et autres antiquités. L'**Oldest House**, sur l'étroite St Francis Street, combine les influences espagnole, britannique et américaine. L'**Oldest Schoolhouse**, sur George Street, construite en cèdre rouge et en

♦ ♦ ♦
ST AUGUSTINE
Nord-est de la Floride
La ville la plus ancienne d'Amérique, St Augustine fut découverte en 1513 par Ponce de Leon, mais baptisée par Don Pedro Menendez de Aviles en 1565. Elle devint le quartier général de l'armée espagnole en Amérique du Nord et servit de capitale à la Floride pendant de nombreuses années. La ville fut attaquée et prise plusieurs fois, mais mal-

cyprès fixés ensemble par des chevilles de bois, aurait été construite pendant l'occupation espagnole ; alors que l'**Oldest Store** sur Artillery Lane aurait été un lieu de rencontre communal dans les années 1800.

Beaucoup à voir pour qui s'intéresse à l'histoire américaine — plus de 70 hauts lieux dans le quartier historique. Parmi d'autres également remarquables, la **Casa de Hidalgo**, meublée dans le style espagnol du XVIIe ; la **De Mesa Sanchez House**, une ancienne auberge espagnole ; l'ancien hôtel de Ponce de Leon, devenu le **Flager College** et la **Flager Memorial Presbyterian Church**,

construite par Flager en 1889. Les Espagnols construisirent la très ornée cathédrale de St Augustine dans les années 1790 ; dans le domaine religieux également, le **Shrine of Nuestra Senora de la Leche**. Dominant l'entrée de la baie de Matanzas, on découvre le **Castillo de San Marcos**, le plus vieux fort de maçonnerie nord-américain, des remparts duquel on a des vues magnifiques sur le vieux quartier et la porte de la ville. A 22,5 km au sud de la ville, sur Rattlesnake Island, **Fort Mazantas** fut le théâtre de ces batailles sanglantes entre Français et Espagnols qui, au XVIe siècle, se sont terminées

Le Castillo de San Marcos, construit au moyen de coquillages au XVIIe siècle

Le memorial de Henry Flager à sa fille : l'église presbytérienne

par le massacre (matanzas) de 300 huguenots français. Parmi les musées du Lighter Side, recommandés avec des enfants, le **Yesterday's Toys** (jouets d'hier, dans le quartier historique), le **Wax Museum** sur St Marco Avenue ; la **St Marco Avenue** ; la **St Augustine Alligator Farm**, est l'attraction la plus ancienne de l'État, avec des centaines d'alligators et de crocodiles et des spectacles toutes les heures. Les amoureux de la nature faisant de St Augustine leur base devraient se diriger vers **Faver-Dykes**, une région marécageuse et boisée au-dessus du fleuve Matanzas et de Pellicer Creek, qui possède des sentiers de randonnée et des installations pour faire du ba-

teau, pêcher et pique-niquer.
Un de nos parcs préférés au
bord de l'océan à St Augustine
Beach est l'**Anastasia Recreation Area** : des kilomètres de
plage, de dunes et un lagon.

♦

SINGER ISLAND

Un endroit délicieux, à seulement 15 minutes de voiture au
nord de Palm Beach, mais
moins cher. La proximité du
Gulf Stream entretient une
température régulière — plus
fraîche en été et plus chaude
en hiver que dans beaucoup
d'autres parties de l'État. La
grande et magnifique plage
publique est la grande attraction et tous les types de sports
nautiques y sont possibles.

♦ ♦ ♦

SARATOSA

Une ville culturelle à 85 km au
sud de Tampa, accessible par
une route panoramique le long
de Gulf Drive à partir des îles,
ou plus rapidement par la I75.
Grande variété de sables
blancs, non seulement sur les
îles du large mais aussi sur la
baie et les petites avancées qui
bordent la côte. La ville elle-
même possède son charme
propre, qui a suffi à attirer l'en-
trepreneur de cirque John
Ringling, qui y a construit la
maison de ses rêves, Cad'zan.
La maison et la propriété de 34
hectares font maintenant partie du **Ringling Museum
Complex**. Tapisseries et autres œuvres d'art ; les plus jeunes vont sans aucun doute pré-
férer le Museum of the Circus.
Au même endroit, l'Asolo
Theater, un théâtre italien du

XVIIIe siècle acheté par Ringling, amené en pièces déta-
chées en 1950 aux États-Unis
pour y être reconstruit.
En face des musées Ringling,
le **Bellm's Cars and Music of
Yesterday** contient une col-

Cad'zan, la maison exotique de Ringling

lection fascinante de voitures anciennes, de nickelodéons, de phonographes et de jeux antiques. Des milliers de palmiers et d'arbustes florissants poussent dans les **Saratosa Jungle Gardens** sur Bayshore Road, où on peut observer les alligators, aras et flamants. La pêche est à l'honneur dans

les environs de Saratosa, sur la plage, en bateau et dans le **Myakka River Park**, une réserve naturelle qui se trouve à environ 22,5 km à l'est de la ville par la Florida 72. Une route pavée traverse le parc de part en part, train jusqu'à la tour d'observation, visites guidées en bateau.

◆ ◆
TALLAHASSEE
Le nom indien de cette ville qui est la capitale de l'État signifie « vieille ville ». Située à 48 km au nord du golfe du Mexique, à mi-chemin entre Pensacola et Jacksonville, Tallahassee était un campement indien florissant en 1539 lorsque De Soto débarqua. Le site de l'ancien village indien et de la mission espagnole est devenu le **San Luis Archaeological Site**. Quand Tallahassee devint une ville, ses rues puis ses plages prirent des noms de personna-

*Les bâtiments de la capitale,
Tallahassee, capitale de la Floride
depuis 1823*

Maintenant, Tallahassee est responsable du gouvernement de l'État, et les visiteurs ne devraient pas manquer le **State Capitol**, sur un tertre qui surplombe le quartier des affaires. Certains jours de la semaine, visites de la **Governor's Mansion**, une imitation de la maison de Andrew Jackson dans le Tenessee, « l'Hermitage ». Artefacts historiques et trésors comme des pièces d'or espagnoles au **Museum of Florida History** dans le RA Gray Building. Pour les jeunes visiteurs, le **Tallahassee Junior Museum** possède des sentiers de randonnée et une ferme de pionniers de 1800, et sert aussi de refuge aux panthères de Floride menacées. Les mois d'hiver sont probablement le meilleur moment pour aller voir les **Alfred B Maclay State Ornemental Gardens** (au nord de la ville) : les azalées et les autres fleurs de l'endroit s'y épanouissent. Au sud de la ville, à **Wakulla Springs**, des milliers de litres d'eau jaillissent à chaque minute d'une grotte souterraine pour former la Wakulla River, sur laquelle on peut faire des promenades dans des bateaux à fond de verre. Le **Lake Jackson Mounds State Archaeological Site**, sur Lake Jackson, est petit mais d'un grand intérêt historique — c'est ici que fut célébrée la première messe de Noël dans le Nouveau Monde en 1539, et de nombreux monticules sacrés

ges politiques comme Adams, Monroe et Jefferson.
L'atmosphère est très typique du vieux Sud — la ville ne fut jamais prise pendant la guerre civile — et il reste beaucoup de belles maisons et de plantations. Une des plus vieilles maisons, **The Columns**, à la jonction de North Adams Street et de West Park Street, est construite en briques rouges avec un toit de goudron et une entrée à colonnades.

Les vaisseaux spatiaux équipés américains décollent du Kennedy Space Center, qui possède aussi des expositions sur l'espace

des Indiens y ont également été découverts.

♦ ♦ ♦
TITUSVILLE
Le **Kennedy Space Center**, à 3 km de là, est fascinant et regorge de choses à voir : expositions de missiles et de fusées, vaisseaux spatiaux et véhicules lunaires, films sur écran géant. On suggère une visite guidée. La ville peut aussi servir de base pour visiter le **Mc Larty Museum**, qui montre les méthodes employées pour sauver le trésor de la flotte espagnole qui a sombré dans la région en 1715.

♦ ♦ ♦
WEEKI WACHEE
Cette célèbre attraction familiale se trouve au croisement de l'US19 et de la Florida 50, à 21 km à l'ouest de Brooksville. Autour d'une source naturelle limpide de plus de 40 m de profondeur, à Weeki Wachee, on peut assister à des spectacles sous-marins de « sirènes ».

LA NATURE EN FLORIDE

Bien que les étés de Floride puissent être extrêmement chauds et humides, les hivers sont doux et cela attire un grand nombre de visiteurs, de septembre à mai. Ce climat subtropical profite également à la nature et les plantes et les animaux se développent grâce à la douceur du climat. Les marécages de palétuviers bordent des bandes côtières vierges où de nombreuses plantes grandissent qui ne seraient pas dépaysées dans une forêt d'Amérique du Sud. Les oiseaux aussi ont tendance à être beaucoup plus exotiques que leurs cousins du reste des États-Unis. Aux espèces résidentes s'ajoutent pendant les mois d'hiver les oiseaux migrateurs du Canada et du Nord des États-Unis.

La chaleur favorise aussi les animaux à sang froid comme les reptiles, les amphibies et les insectes. Le plus spectaculaire est l'alligator américain, qui se développe encore dans les endroits où il n'est pas persécuté.

La Floride est une avancée dans la mer, avec l'Atlantique à l'ouest et les Caraïbes à l'est. Grâce aux côtes immenses et au climat favorable, des stations balnéaires et installations touristiques se sont développées sur la plupart des côtes. Mais malgré cela, même au milieu des marinas et autres développements, la nature reste très présente.

Les plantes tropicales sont florissantes dans les parcs de Floride, en particulier les palmiers

LA NATURE

Les Everglades

La pointe sud de la Floride est presque entièrement occupée par le parc national des Everglades, une immense étendue vierge de plus de 75 hectares de marais peu profonds et d'herbages. Du fait des grandes distances, une voiture est nécessaire pour rendre justice aux Everglades. Les Everglades sont intéressantes toute l'année, mais on peut recommander la visite l'hiver. C'est la saison la plus sèche et, comme l'eau diminue, les animaux sont obligés de se rassembler autour des points d'eau. De la porte sud, une des premières étapes est le Royal Palm Visitor's Center. On peut y suivre l'Anhinga Trail, qui est bien indiquée par les panneaux. C'est la vitrine du parc et elle porte bien son nom. Le long de la promenade en planches, les *anhingas* font leur nid, se nourrissent et prennent des bains de soleil. Ces oiseaux d'apparence primitive, dont les plumes ne sont pas imperméables, doivent sécher leurs plumes au soleil à intervalles réguliers. Les alligators se cantonnent généralement le long des canaux mais ils s'aventurent quelquefois sur les promenades de planches, alors, ouvrez l'œil ! On comprend vite la raison de l'abondance d'oiseaux piscivores et d'alligators dans les Everglades en observant l'eau ; elle frémit tout simplement de vie. L'anguille à forme de torpille est peut-être l'espèce la plus abondante, mais on trouve aussi beaucoup de perches et de poissons-lunes.

Nombreuses également sont les tortues aquatiques d'Amérique et les grenouilles.
Partant de l'entrée principale des Everglades, une route de près de 80 km s'en va vers le sud et offre quantité de choses à voir. On voit clairement dans le ciel des oiseaux de proie qui viennent se poser dès que la température du sol se réchauffe. Les vautours noirs et rouges sont excessivement communs. Plus élégant est la buse au manteau rouge, qui est souvent perché sur de bas buissons proches de la route ou des lignes télégraphiques. L'y re-

joint de temps en temps le plus gracieux des rapaces, le milan à queue fourchue, qui a ses quartiers d'été dans les Everglades et y est assez rare. Grande variété de mammifères également. L'aube et le crépuscule sont les meilleurs moments pour guetter le chevreuil à queue blanche, qui broute souvent l'herbe des bas côtés en compagnie du charmant petit lapin des marais. Une promenade dans le parc pendant la nuit peut révéler les résidents les plus secrets et nocturnes des Everglades. Les ratons laveurs et les opossums apparaissent quelquefois dans le champ des phares de la voiture ainsi que le faucon de nuit, plus commun. Faire très attention en conduisant la nuit car beaucoup de ces animaux sont effrayés par les phares.

Plusieurs étangs et lacs le long de la route pour Flamingo. On est certain de voir des aigrettes blanches aux pattes jaunes caractéristiques, de petits hérons verts et l'inévitable alligator. Avec de la chance, on verra la spatule rose ainsi nommée à

Les alligators américains sont courants dans les Everglades

cause de son bec étonnamment plat. Malheureusement, les flamants n'honorent plus de leur présence les lacs et côtes de Floride et tous les grands oiseaux roses que l'on verra seront très probablement des spatules.

Une autre entrée intéressante dans le parc des Everglades, par le nord, est la Sharkvalley. Elle permet de suivre un itinéraire circulaire de 24 km de promenade aménagée au cœur des Everglades. On peut suivre cette piste à pied, mais il est intéressant de louer une bicyclette. Les alligators en sont un des attraits les plus étonnants. Chaque bassin a les siens propres, qui y résident, et certains ont plus de 3 mètres de long. On les voit la plupart du temps prendre le soleil à côté des bassins, la gueule ouverte pour lutte contre la chaleur. Une certaine prudence s'impose !

Il y a un certain nombre de plans d'eau plus grands dans cette partie des Everglades, que l'on appelle les *sloughs* (bourbiers). Pas besoin de préciser que ce sont des paradis pour les poissons et les alligators, mais ils attirent aussi les serpents d'eau, qui se régalent des têtards et des petits poissons. Les alligators sont très efficaces pour maintenir des *sloughs* ouverts et éloigner la végétation. Les vigoureux mouvements qu'ils font pour se rouler dans la boue empêchent les plantes de coloniser les abords de l'eau. Les épis colorés de *Pontederia*, une plante aquatique, teintent cependant de pourpre les bords de la plupart des étangs et bourbiers. Les jours de chaleur, les serpents traversent la piste. Le plus grand et le plus venimeux

Les hérons tricolores guettent leur proie au bord de l'eau

d'entre eux est le mocassin d'eau, un parent du serpent à sonnettes, mais sans « sonnettes ». Mais il n'est pas recommandé de chasser un mocassin d'eau ! Le chemin qui longe la limite nord du parc est idéal pour observer les hérons et les aigrettes se nourrir dans les fossés de drainage, mais il est tout spécialement renommé pour ses rares everglades ou ses buses à coquillages. L'oiseau vole gracieusement au dessus des roseaux, révélant quelquefois son croupion blanc, à la recherche de sa ration quotidienne d'escargots, qu'il saisit de son bec allongé et incurvé. Cette route constitue aussi un bon poste d'observation pour les vols d'oiseaux à l'aube et au crépuscule, aux moments où ils sortent ou retournent vers les lieux où ils s'alimentent et perchent.

Les étangs et les lacs

Il y a des étangs et des lacs partout en Floride et ce sont de véritables aimants pour la faune. Bien qu'ils n'aient pas la taille de l'immense Lake Okeechobee au centre de la Floride, les petits bassins des Everglades valent bien une visite. La plupart des points d'eau sont entourés de roseaux et autres plantes aquatiques qui servent de perchoirs à la vaste congrégation d'oiseaux aquatiques qui s'y réunissent pour se nourrir de poissons et d'amphibiens. Les plus grands et les plus voyants sont les aigrettes et les hérons. En plus des aigrettes neigeuses omniprésentes et des hérons verts, une observation patiente devrait ré-

véler de petits hérons bleus ou tricolores et peut-être même un des derniers butors.

L'avantage de ce lieu d'observation des oiseaux par rapport aux lacs et étangs du reste de la Floride est qu'on n'y a pas souvent besoin de jumelles.

Bien que de nombreuses espèces aient perdu leur peur de l'homme, elles reconnaissent encore le danger sous d'autres formes. Malgré leurs grandes pattes faites pour patauger dans l'eau profonde, presque tous les hérons et aigrettes restent perchés hors de l'eau, n'y plongeant que lorsqu'un repas se présente. La raison de ce comportement apparemment curieux, que l'on n'observe pas chez les mêmes espèces ailleurs en Amérique, s'explique par le nombre d'alligators et de tortues qui hantent la plupart des points d'eau. Les foulques américaines sont également abondantes autour de la plupart des étangs et des lacs. Bien que semblables au premier coup d'œil à leurs cousins européens, une observation plus attentive révèle une marque noire distinctive sur le bec et des plumes blanches sous la queue. Avec beaucoup de chance, on verra aussi la poule sultane d'Amérique. Créatures généralement secrètes, les poules sultanes s'aventurent quelquefois hors de leurs cachettes à l'aube pour profiter des premiers rayons de soleil. La lumière à cette heure révèle leur brillant plumage pourpre, bleu et vert dans toute sa splendeur ; et c'est une expérience mémorable que d'apercevoir un de ces oiseaux. Sous la chaleur de la journée, les étangs s'animent de libellules et de cousins. Ils volent incroyablement vite et attrapent les moustiques, ce dont la plupart des naturalistes leur sont très reconnaissants !

Les forêts tropicales

Dans toutes les Everglades et le long de la plupart des côtes de Floride, on trouve de petites enclaves de forêt tropicale. D'une façon intéressante, elles contiennent des espèces végétales et animales plus proches de celles de la forêt d'Amérique du Sud que celles des forêts tempérées des États voisins des USA. Beaucoup de ces forêts, appelées *hammocks* dans les Everglades, ne dépassent pas quelques hectares et sont isolées dans une mer de terre herbeuse, et pourtant, l'âge des arbres témoigne de leur longévité.

Les « hammocks » tendent à se développer sur des affleurements calcaires et surplombent souvent un peu la terre des alentours. Leur légère élévation peut ne pas paraître particulièrement significative, mais c'est ce qui permet aux arbres d'atteindre une grande taille. Pendant la saison humide, la terre des alentours est inondée, ce qui tue toute végétation en dehors de l'herbe la plus résistante. Par contre, pendant la saison sèche, les hammocks retiennent une grande quantité d'humidité dans le sol qui entoure les racines. Les arbres souffrent donc moins de la sécheresse et des incendies saisonniers qui ra-

vagent quelquefois la terre herbeuse des environs.

De nombreux hammocks tropicaux des Everglades sont équipés de magnifiques promenades de planches qui permettent de visiter la forêt tout en protégeant la végétation de tout dommage. Entrer dans un hammock, c'est comme entrer dans un autre monde. L'intense chaleur du soleil disparaît, fait place à des rayons tamisés et adoucis et à un air humide. Les lianes s'élancent autour des troncs des grands arbres, souvent jusqu'à étreindre à mort leurs bienfaiteurs. Plus près du sol, des cactus à piquants en forme de poire se développent dans les clairières, dominés par les plantes épiphytes qui festonnent les branches et les troncs des arbres : des plantes sans racine dans le sol qui se développent sur d'autres plantes. Dans la plupart des cas, l'épiphyte ne cause aucun dommage à la plante qu'elle parasite, en dehors de l'accroissement de poids. Les plus frappantes de ces plantes sont les broméliacées, avec des rosettes dentelées de feuilles et des fleurs colorées. La douceur et l'humidité de l'air favorisent aussi les insectes qui abondent dans la forêt. Dans les feuillages, de petits oiseaux tels que les fauvettes noires ou blanches et les viréos aux yeux blancs cherchent leur nourriture parmi les insectes.

Les Keys

Les Keys sont auréolées d'images romantiques des Caraïbes avec leurs plages exotiques de mers du sud. La réalité est différente. Le développement économique n'a épargné que quelques petites enclaves de végétation naturelle. Cependant presque tous les golfs sont peuplés de chouettes des terriers et d'ibis blancs qui ornent les pelouses. Les Keys constituent une chaîne d'îles de presque 145 km à partir de la pointe sud de la Floride. Maintenant, une route (l'US1) les relie entre elles et on peut se rendre de Miami à Key West en une journée. Le long de la majeure partie de la route, il y a des lignes électriques et des poteaux télégraphiques, qui servent de perchoirs aux moucherolles à longue queue, un visiteur hivernal régulier. Les échassiers et les sternes sont plus communs ; mais un coup d'œil attentif vers le ciel devrait finir par révéler la véritable spécialité exotique des Keys, la frégate superbe. Avec une envergure de plus de 2,5 mètres, ces oiseaux flottent sans effort sur la brise marine, harassant les autres oiseaux marins pour leur faire régurgiter leur dernier repas, qu'ils attrapent alors pour le manger ! Mais l'oiseau le plus spectaculaire des Keys est certainement l'aigrette blanche, un oiseau immense qui mesure presque 1,5 m de hauteur. On ne le rencontre que dans les Keys. Quelques restes de végétation naturelle subsistent, comme des marais de palétuviers et des forêts de pins luxuriantes. Les meilleurs exemples se trouvent sans doute sur Big Pine Key, où il y a quelques réserves naturelles et où le sous-bois secrète des espèces particulières de figuiers de Barbarie, de mousses d'Espagne et de yuccas exotiques. Big Pine est sans doute plus connue pour le charmant chevreuil des Keys. De petits groupes s'aventurent souvent hors des sous-bois pour flâner le long de la route au crépuscule et saisir des images inoubliables.

Les automobiles devraient redoubler de prudence sur Big Pine Key, pour épargner la vie des animaux.

Les marécages de cyprès

De nombreuses zones boisées humides ont été drainées en Floride, mais quelques-unes subsistent sous la protection d'organismes divers. Les plus humides sont les marécages de cyprès. Peut-être le meilleur exemple en est-il le National Audubon Society's Corkscrew Swamp, près de la petite ville d'Immokalee.

Les parties les plus sèches de

Une majestueuse aigrette blanche

LA NATURE

la forêt se composent de pins maritimes, mais la montée du niveau d'eau favorise les cyprès. Les arbres sont festonnés d'orchidées épiphytes, de fougères, de lichens et d'immenses plantes grimpantes semblent se diriger vers le ciel.

Les visiteurs chanceux pourront apercevoir la timide loutre de rivière mais la race floridienne d'écureuil de Caroline, qui se distingue par son visage noir, est plus fréquente. Les oiseaux abondent aussi dans le Corkscrew Swamp. Le grand pic chante d'un timbre grave en cherchant ses asticots. Les hérons et les aigrettes guettent les poissons dans les canaux. Les petits hérons bleus se promènent souvent sur les tapis de nénuphars. Quelques tantales d'Amérique font leurs nids dans les arbres. A l'aube et au crépuscule, les oiseaux qui se nourrissent sont quelquefois rejoints par un *limpkin*, un oiseau secret qui ressemble à l'ibis et dont les extraordinaires appels nocturnes sont inoubliables.

Quand les cyprès vieillissent, ils meurent et tombent, laissant des souches qui, peu à peu érodées, deviennent des crêtes de bois. Ils font des perchoirs idéals pour la chouette rayée, un des oiseaux les plus spectaculaires dans cet habitat.

Les forêts de pins

Les forêts de pins sont très répandues dans tout l'État de Floride. Trois des plus grandes sont l'Apalachicola National Forest (278 500 hecta-

res) dans le Panhandle, l'Ocala National Forest (183 000 hectares) et l'Osceola National Forest (78 500 hectares) près de Lake City. Il y a sept espèces de pins originaires de Floride, mais le pin maritime prédomine.

Un tapis d'aiguilles de pins et de choux palmistes empêche le développement d'une flore trop importante au sol, mais les épines des orchidées se prennent quelquefois dans les tresses des femmes. De simples lézards et des scinques rampent dans la végétation et on rencontre plusieurs espèces de serpents dans la plupart des zones boisées. Celles-ci contiennent de nombreuses espèces mammifères. Le tatou s'enracine dans le sol pour y trouver sa nourriture et peut, de temps en temps, être repéré grâce au bruit qu'il fait, mais le lynx est beaucoup plus silencieux et il faudra une certaine chance pour en voir un.

En écoutant le bruissement de la végétation au sol, on pourra apercevoir un groupe de cailles.

Collectionner des coquillages

Une description de la Floride ne serait pas complète si elle n'évoquait pas les coquillages pour lesquels l'État est fameux. Presque toutes les plages ont une bonne collection d'espèces mais quelques-unes, comme Sanibel, Cape Sable et Marathon Key, sont renommées et les coquillages subtropicaux remarquables, ainsi les conches, les murex et les couries, qui attirent l'œil immédiatement. Hélas, beaucoup de collectionneurs ne s'intéressent qu'aux coquilles d'animaux vivants. De nombreuses espèces sont menacées, si bien que dans certaines zones, les collectionneurs doivent se limiter à deux animaux vivants de chaque espèce. Il faut également savoir que la plupart des coquillages vendus dans les magasins ont presque certainement été pris vivants et qu'il vaut donc mieux les éviter.

Pins des Keys, en Floride (ci-dessous) et chouette rayée (ci-dessus)

GASTRONOMIE

Dès que l'on pense à du jus d'orange, on pense à la Floride, car cet État produit 25 % des récoltes mondiales et 95 % de tous les jus d'orange concentrés. On trouve des oranges fraîches partout.

Orlando était à l'origine un centre de production d'agrumes — et de fait, il y a encore des orangeraies dans les environs de la zone centrale. Les fruits exotiques se sont ajoutés à la variété la plus commune, et cela donne des gelées élaborées, des marmelades et des chutneys en vente dans les boutiques d'alimentation raffinées. Depuis quelques années, l'État essaie de fabriquer

Presque un tiers de la production agricole de Floride est constitué d'oranges, de pamplemousses et de mandarines

du vin avec ce fruit, mais on ne garantit rien. Rechercher plutôt le miel blanc de *tupelo*.

Comme dans beaucoup d'autres endroits aux États-Unis, l'élevage du bétail était une grande affaire en Floride, un aspect important de l'agriculture, et le bœuf reste à l'honneur au menu. Mais la véritable spécialité nationale, ce sont les fruits de mer. Dans cet État côtier où les lacs et les fleuves abondent, les eaux de Floride ont toujours abondamment rempli les assiettes ; mais ce sont les progrès de la réfrigération qui ont permis l'installation d'une industrie et d'un commerce de fruits de mer et de poisson frais.

On sera toujours satisfait des restaurants de mer en Floride, où on sert un grand choix de clams, de crevettes, d'huîtres, mulets, tortues ou langoustes de la région. Le *scamp*, par exemple, n'est pas une déformation de scampi, mais bien un poisson original, blanc et gélatineux, apparenté aux premiers. Il est rare, mais l'essayer si on en a l'occasion. Les *stone crabs* sont un autre mets délicat, en saison d'hiver. C'est une spécialité de Miami.

Les spécialités locales

En Floride, la nourriture est aussi diverse que les habitants. Quelques rares souvenirs de la cuisine des Indiens indigènes nous sont parvenus, comme la tarte au manioc et les beignets de maïs ; mais les nombreux Cubains ont apporté avec eux leur goût des mets épicés. Les haricots noirs accompagnent tous les plats et on termine avec un café noir sucré. C'est à Calle Ocho (Miami Downtown) et à Ybor City, le quartier latin de Tampa, que leur influence est la plus forte. Il y a aussi une communauté grecque importante à Tarpon Springs, et tant de tavernes servent de la moussaka et des keftedes qu'on se croirait dans une petite Athènes ! Dans le bas des Keys, chercher dans les menus les beignets de *conch* et la tarte au citron des Keys. Le *conch* (prononcé « conk ») est un délicieux petit mollusque comestible. C'est aussi un surnom familier pour les habitants de Key West nés sur les îles, qui descendent des Cubains, des navigateurs yankees et des loyalistes britanniques. La tarte au citron des Keys, populaire dans tous les États-Unis, doit être de couleur crème pour être authentique.

Si d'aventure on visite St Augustine, on pourra déceler une influence de Minorque sur certains menus affichés dans les restaurants — ragoûts très épicés de poulet, de porc et de fruits de mer avec du riz, des haricots et des poivrons. On trouve aussi des beignets de fromage et du *picadillo* (morceaux de bœuf très épicés avec olives, raisins et oignons).

Les plaisirs de la table

Il faut signaler que, quel que soit le plat que l'on commande, les portions ont toutes les chances d'être copieuses — beaucoup plus qu'en Europe. Les Américains préfèrent souvent le plat unique à nos repas européens. La taille des portions peut jouer en faveur des touristes : il est parfaitement acceptable, par exemple, de demander un seul dessert et quatre fourchettes. les salad-bars à volonté sont tout à fait indiqués. Les fast-foods ont des plateaux à volonté (souvent de fruits de mer) qui peuvent se révéler économique lorsque l'on voyage avec de jeunes ogres en pleine croissance, et pendant ce temps, les adultes peuvent profiter des canapés gratuits souvent fournis par les bars à cocktails au moment de l'« happy hour » (en général de 17 h 30 à 19 h 30).

ACHATS

Parce que les Américains eux-mêmes ont une passion pour le shopping, les visiteurs ne manqueront pas d'endroits où faire des achats ou flâner. Tout espace inoccupé voit l'installation d'une boutique ou d'un centre commercial. Depuis les années 80, les quartiers historiques, restaurés, ont vu l'installation de boutiques de cadeaux et de galeries d'art. Beaucoup de zones marchandes sont aménagées sous la bannière d'un thème (un village de pêcheurs, par exemple) ou reflètent un caractère ethnique (les Grecs à Tarpon Springs, les Espagnols à Ybor City).

Certaines des rues ou zones commerçantes sont particulièrement célèbres, comme le Miracle Mile de Coral Gables, où l'on vend toutes les grandes marques américaines en matière de vêtements. Votre budget peut ne pas être adapté aux prix affichés dans les vitrines du Las Olas Boulevard à Fort Lauderdale ou de Worth Avenue à Palm Beach, mais qui peut résister au plaisir d'y faire une promenade ? Bal Harbour est un vieux quartier de Miami qui a gardé son chic. Achats

Une réplique de l'HMS Bounty, théâtre d'une mutinerie en 1789, à l'ancre dans la baie de Biscayne

prestigieux dans les succursales de grands magasins aussi renommés que Saks ou Neiman-Marcus. L'une des meilleures zones ethniques est la Calle Ocho de Miami Downtown (8e rue au sud-ouest), le quartier latin de Miami. On y trouvera des boulangeries avec des pâtisseries cubaines, des usines de petits cigares encore roulés à la main, et des vendeurs de fleurs sur le trottoir. Ybor City est le pittoresque quartier latin de Tampa et ici aussi, le secteur privé a joué un rôle essentiel pour donner un nouveau souffle à la commune. Les magasins d'Ybor Square, par exemple, regorgent maintenant d'antiquités, d'objets d'art importés et de plantes, et on attend des agrandissements. La Bayside Marketplace récemment terminée est une des fiertés de la ville. Construit sur les quais, ce centre commercial a coûté 93 millions de dollars. Les boutiques donnent sur le marché, ainsi que les stands de spécialités culinaires de tous les pays et des restaurants. C'est d'ailleurs dans cette partie de la baie de Biscayne que le HMS Bounty, de la MGM est, à quai, ouvert au public. La Church Street Station d'Orlando-Downtown, qui a essuyé une perte de 60 millions de dollars avec le Church Street Exchange, une zone commerciale sur trois étages avec boutiques et restaurants. Les bonnes affaires sont une question tout à fait personnelle mais l'Amérique est célèbre pour ses centres de discount et ses « sorties d'usine », où l'on peut acheter les grandes marques à prix réduit. Le mieux, où que l'on aille, est de s'informer dans les journaux et publications touristiques locales, mais pour donner une idée, le Quality Outlet Center sur l'International Drive à Orlando propose des sorties d'usines de grandes marques comme Corning (un grand nom pour tout ce qui est maille), Fostoria Glass (une des grandes marques du vêtement masculin), Great Western Boots, et des boutiques de mode féminine. Puisqu'Orlando et ses environs sont susceptibles de venir en priorité sur votre itinéraire, vous pouvez visiter le Florida Mall, à l'intersection de la 441 et de la 482 : 150 magasins ; La Mirada (plus de 90 magasins de spécialités à mi-chemin entre la Florida Turnpike et l'Interstate 4) ; Mangate Mall à Kissimmee (près de l'entrée du Magic Kingdom) avec plus de 80 magasins ; et Osceola Square Mall, 84 magasins sur l'autoroute de l'ouest 192 à Kissimmee. La vieille ville, dessinée dans le style du tournant du siècle, est une attraction touristique connue qui comporte plus de 100 boutiques. Les parcs à thèmes possèdent également une variété infinie de magasins. A Disney World, par exemple, tous les grands hôtels possèdent leurs boutiques, tout comme la rue principale (Main Street) du Magic Kingdom et les pavillons de la vitrine du monde à EPCOT. Il y a aussi un village du shopping au Walt Disney World, où les boutiques vendent un tas d'articles, des décorations de Noël à l'équipement nautique en passant par les jouets. Grande quantité, bien sûr, de peluches de Disney. Bazars dans la section marocaine et à Stanleyville dans les Busch Gardens, le parc à thèmes des environs de Tampa, et des articles de baseball et autres à Boardwalk and Baseball, près d'Orlando.

Le choix de ce que l'on achète est forcément très personnel. En Amérique, les voyageurs recherchent les choses les plus étranges ! On peut acheter toutes sortes d'ingrédients culinaires que l'on trouverait difficilement ailleurs — des soupes à l'oignon déshydratées, peut-être, ou des miettes de Graham-cracker pour le fond d'un gâteau au fromage blanc. Les articles de plage sont souvent des achats utiles en Floride, avec le soleil toute l'année. On peut n'acheter ses éponges qu'en Grèce, mais l'infinie variété de Tarpon Springs, de l'éponge pour le bain à l'éponge pour laver la voiture, est de bonne qualité. On peut n'acheter ses cigares qu'à Cuba, mais le quartier latin de Miami et Ybor City à Tampa sont amplement ravitaillés. On peut n'acheter ses coquillages que dans les Caraïbes, mais ils sont beaucoup moins chers dans les îles du large de la Floride. Et on résiste difficilement aux variétés de gelées et de chutneys dans les magasins biologiques d'Amérique. De plus, l'utilisation commode de la carte bleue aux États-Unis fait du shopping en Floride

une expérience aussi aisée qu'excitante.

HÉBERGEMENT

Gamme étendue qui va des motels économiques aux grands hôtels de luxe. Les motels sont particulièrement valables en famille (les meilleurs possèdent des restaurants et des installations récréatives) puisque pour un prix unique, l'on peut avoir une chambre pour quatre personnes. Ils sont situés le long des autoroutes de l'État et des plages et à proximité des zones touristiques populaires comme Disney World et les Everglades. Un certain nombre d'entre eux appartiennent à des chaînes comme Hilton, Howard Johnson ou Day's Inn, de grande qualité.

Les appartements et les villas de vacances meublés constituent une autre façon de réduire la dépense. Ici aussi, le niveau général est bon — les appartements sont souvent situés dans des complexes avec piscine, golf, etc. La Floride possède un des plus grands choix pour ce type d'hébergement. Il est également possible de loger en Bed and Breakfast, dans des maisons privées. La plupart des associations, cependant, ne sont pas représentées à l'étranger et il faut les contacter directement. Cependant les B & B en Amérique ne sont pas nécessairement moins chers que les chambres de motel.

Très nombreux grands hôtels de luxe en Floride, surtout sur la côte Est, si on ne se soucie pas d'économie ; le mot *resort*,

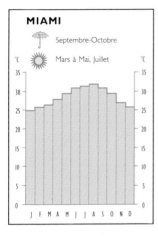

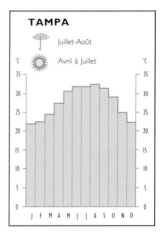

appliqué à un hôtel américain, implique un complexe luxueux avec toutes les installations concevables sur place.

VIE NOCTURNE

Les distractions culturelles et les spectacles ne manquent pas dans les villes, nombreux centres d'arts du spectacle, théâtres et night-clubs. Les vedettes se produisent souvent à Miami dans les grands hôtels et les clubs présentent des revues exubérantes. La vie nocturne est tout aussi animée dans la région d'Orlando et à Disney World même. On trouvera des détails sur les spectacles dans la presse locale et les publications touristiques.

CLIMAT

Bien que les températures soient sensiblement les mêmes dans toute la Floride pendant l'été — environ 30 degrés en moyenne, le climat peut varier en hiver. Les températures moyennes en janvier, par exemple, vont de 10 degrés au nord-ouest à 18 degrés le long de la côte sud et 21 degrés dans les Keys. Pendant les brèves périodes de douceur en hiver, les régions côtières sont plus chaudes que l'intérieur, à cause de l'influence modératrice du Golfe et de l'Atlantique.

Les hôtels de grand luxe demandent un certain formalisme vestimentaire mais le port de la veste et de la cravate ne sont pas une règle absolue : des vêtements d'été frais, banals et confortables seront adéquats dans ces grands hôtels. Ajouter un imperméable, une veste ou un chandail pour les baisses inattendues de température en hiver ou par précaution contre l'air conditionné glacial.

LES ENFANTS

S'il est un État américain qui soit particulièrement fait pour attirer les enfants, c'est bien la Floride. Il y a tant de parcs à thèmes et d'attractions familiales qu'il est presque impossible de choisir. La région d'Orlando, à elle seule, est certainement sans rivale. Disney World mis à part, il y a toutes sortes de parcs aquatiques à thèmes, de spectacles d'animaux et d'oiseaux, de musées de cire, de réserves d'alligators, de salles de jeux électroniques, de manèges échevelés, de zoos et de parcs marins.

La touche de couleur tropicale d'un ara dans les Cypress Gardens

Parce qu'ils sont si nombreux, il est nécessaire de sélectionner, car les frais d'entrée s'accumulent vite. Dans le cas des attractions les plus connues (Disney World, Cypress Gardens, Busch Gardens, etc.), les frais sont assez élevés, mais ils couvrent l'ensemble des manèges et attractions. Quelquefois, des droits d'entrée sont compris dans des voyages organisés en Floride. Le choix parmi les plages de Floride est immense aussi, alors, ici encore, il faut sélectionner soigneusement. Les îles de l'ouest sont vierges et tranquilles, mais ne conviendront pas à des jeunes actifs qui aiment les terrains de foire et des arcades de jeux électroniques ; et il n'y a pas grand chose à faire non plus dans la plupart des Keys en dehors des sports nautiques. Les Pinellas et les villégiatures de la côte d'or, cependant, ont de quoi satisfaire les attentes de toutes les générations.

Les musées américains permettent d'apprendre en s'amusant et en Floride, ils encouragent souvent la participation des visiteurs par les expositions interactives. Les musées scientifiques bien conçus possèdent toujours de telles galeries et souvent un planétarium. L'histoire est rendue vivante par l'artisanat et les autres vestiges, et les guides sont costumés. Le reste du patrimoine culturel est géré de la même façon — les villages indiens par exemple. Les Américains adorent gâter les enfants — et il y a toutes sortes d'activités pour eux dans l'État du Soleil.

FESTIVALS ET AUTRES MANIFESTATIONS

D'innombrables festivals et autres manifestations ont lieu chaque année en Floride, même dans les plus petites communes. Les journaux locaux et les publications touristiques vous renseigneront. Mais voici quelques grandes manifestations :

JANVIER : *Jacksonville* — Tournoi de football du Gator Bowl

Daytona Beach — Challenge Pepsi des 24 heures

Homestead — Rodéo annuel

Miami Beach — Week-end art déco

Miami — Foire de la Renaissance à Vizcaya, football à l'Orange Bowl

Fort Lauderdale — Journée Flager

Coral Gables — Spectacle d'art du Miracle Mile

West Palm Beach — saison du club de country et de polo, Derby de pêche au poisson argenté

Orlando — Jeux des Highlands d'Écosse

Saratosa — Exposition annuelle de coquillages

Marco Island — Tournoi de pêche du comté Collier

Tarpon Springs — Jour de l'Épiphanie

FÉVRIER : *Palatka* — Festival des azalées

Olutsee — Reconstitution de la bataille d'Olutsee

St Augustine — Journée de Menendez

Daytona Beach — Daytona 500

Coconut Grove — Festival d'art

Miami Beach — Festival d'art

Miami — Grand Prix et Festival international, exposition de bateaux

Key West — Journées des temps anciens sur l'île

Orlando — Foire de Floride centrale

Winter Haven — Festival des agrumes de Floride

Cape Coral — Exposition annuelle en plein air, d'art et d'artisanat

Saratosa — Saison du théâtre d'État Asolo

Fort Myers Beach — Festival des crevettes de l'île Estero

Plant City — Festival des fraises de Floride

Tampa — Invasion pirate à Gasparilla, journées de Fiesta à Ybor City

MARS : *Daytona Beach* — Semaine du cyclisme

Miami — Journées portes ouvertes à Calle Ocho ; Carnaval de Miami

Fort Lauderdale — Festival d'art de Las Olas

Lignumvitae Key — Festival des Lignumvitae (fleurs)

West Palm Beach — Festival d'art

Orlando — Foire de Floride centrale

Arcadia — Championnat de Floride de rodéo

Dunedin — Jeux des Highlands

Tampa — Fiesta d'Amérique Latine

Sanibel Island — Foire aux coquillages

AVRIL : *St Augustine* — Festival d'art et d'artisanat ; bénédiction de la flotte

Palatka — Rodéo de la région

Jacksonville — Jeux des Highlands

Gainesville — Festival d'art de printemps
Daytona Beach — Festival de Musique
Cocoa Beach — Festival de surfing professionnel américain
Sanibel/Captival — Derby open de pêche sur les îles

MAI : *St Augustine* — Tournoi de pêche (jusqu'en septembre)
Miami — Festival de fruits de mer ; régates sur le Miami
Saratosa — Concours international de châteaux de sable
Pensacola — Festival des cinq drapeaux

JUIN : *Daytona Beach* — Semaine de la vitesse de l'été
Delray Beach — Championnats nationaux de tennis
Coconut Grove — Festival de Goombay
Miami Beach — Marché couvert aux puces

JUILLET : *Jacksonville* — Exposition de coquillages
Daytona Beach — Firecracker 400, Paul Devere 250
Miami — Festival de musique en plein air
Key West — Journées Hemingway
Kissimmee — Rodéo de Silver Spurs
Arcadia — Rodéo de Floride

AOÛT : *Boca Raton* — Festival de Boca
Fort Walton Beach — Tournoi de *billfish*

SEPTEMBRE : *Cocoa Beach* — Tournoi professionnel international de surf en Floride
Key West — Saison des huîtres
Orlando — Oktoberfest

OCTOBRE : *Miami* — Festival du patrimoine espagnol

NOVEMBRE : *St Augustine* — Festival d'automne d'art et d'artisanat
Miami — Festival grec, festival d'art
Orlando — Journées des pionniers

LA VIE EN FLORIDE

S'adapter à la Floride est vraiment facile. Si on aime la douceur de vivre, la mer, le soleil et les sports, on ne peut guère être déçu, surtout si on a gardé son âme d'enfant.

PETITS BUDGETS

La plupart des chambres de motel sont équipées de deux lits doubles, de qui permet aux enfants de partager la chambre de leurs parents sans inconvénient pour leur confort. Possibilité également de se faire du thé et du café dans la chambre et machines à glace dans les couloirs, si bien que l'on peut rapporter des boissons du supermarché.

Les fast-foods peuvent permettre d'économiser si on a toute une famille à nourrir — chercher ceux qui proposent des menus pour enfants et les « buffets à volonté » *(All-you-can-eat)*. Les *diners* sont les endroits les plus économiques pour le petit déjeuner et ils sont agréables.

Les compagnies de location de voitures offrent souvent des tarifs plus intéressants que les firmes internationales comme Hertz et Avis (cependant prix à étudier avant de partir).

L'entrée est libre dans de nombreux musées américains.

Arrivée

La Floride possède trois aéroports internationaux. Miami est le terminal aérien le plus important de Floride, avec des vols directs de plusieurs aéroports internationaux. Tampa, qui dessert le golfe du Mexique, a des liaisons avec l'Europe et l'Amérique du Sud. Orlando, qui dessert les zones touristiques de l'intérieur, comme Disney World, reçoit des vols directs de certaines grandes villes étrangères. La plupart des compagnies aériennes américaines ont des vols réguliers pour la Floride, et certaines, comme Delta, ont des liaisons très fréquentes avec la Floride. Les liaisons intérieures assurées par des compagnies locales sont pratiques et fréquentes. Si l'on prévoit de parcourir l'État en avion, on fera bien d'acheter ses billets à l'avance auprès d'une organisation du style Visit USA. Les vols de courtes distances comme Miami/les Keys sont d'un coût raisonnable, mais les listes d'attente peuvent être très longues en saison.

Formalités d'accès : les visas étaient nécessaires pour les Français entrant aux États-Unis jusqu'à une date récente. Actuellement, un passeport en cours de validité et un formulaire distribué par votre agence de voyages suffisent ainsi que votre billet de retour.

Toutefois, dans certains grands aéroports, les règles varient à propos des arrêts en transit et certains visiteurs peuvent se voir interdire une nouvelle entrée aux États-Unis (après une courte visite au Canada ou au Mexique par exemple), sans visa. Il est nécessaire de vérifier soigneusement avant le départ les conditions d'entrée auprès du consulat ou de l'ambassade la plus proche. Qu'il suffise de dire que les Américains sont tout à fait stricts en la matière et que les passagers qui voyagent sans les papiers nécessaires ne seront en aucun cas admis aux États-Unis.

Automobile-clubs

L'American Automobile Association (AAA) est membre de l'organisation mondiale des automobile-clubs — l'International Touring Alliance (AIT) — et, en tant que telle, fournit certains services à des membres d'organisations étrangères. Le niveau des services diffère selon les associations membres, il faut donc vérifier avec votre club de quels services vous pouvez bénéficier. On doit souligner que l'AAA ne peut recevoir de demandes avant le départ, mais des services sur routes sont normalement possibles. Une fois aux États-Unis, il y a des bureaux de l'AAA dans la plupart des grandes villes, dans les ports et les aéroports, qui offrent une assistance liée au voyage. Il faut produire un certificat de membre affilié à l'AIT en cours de validité pour avoir droit à une assistance gratuite.

Assistance d'urgence sur route.

L'AAA a un numéro d'appel d'urgence national pour vous assister en cas de problèmes avec votre voiture. Si vous avez besoin d'assistance en

La Floride possède un grand choix de compagnies de location de voiture et les prix les plus bas des États-Unis

traversant les États-Unis, appeler le 1-800-336-HELP pour obtenir des renseignements pour une assistance d'urgence. Si vous êtes impliqué dans un accident de voiture, il faut immédiatement en informer le bureau de police local, le bureau du shérif du comté, ou la Florida Highway Patrol.

Camping
La Floride est un État tout à fait populaire parmi les campeurs — elle possède plus de terrains et de sites de camping que n'importe quel autre État. On les trouve dans presque tous les parcs nationaux ou d'État, près des forts et aires récréatives comme Disney World. La plupart sont ouverts toute l'année et sont équipés d'installations électriques, de magasins d'alimentation et d'aires de loisir pour des vacances confortables. L'annuaire du camping en Floride, publié annuellement, donne tous les détails utiles sur les terrains et les sites les plus confortables ; on peut se le procurer gratuitement

auprès de la Florida Campground Association, Department D-8, 1638 N. Plaza Drive, Tallahassee, FL 32308-5323.

Délinquance
Comme la plupart des grandes villes, ni Miami ni Tampa ne sont exemptes de délinquance. Toutefois, si le bon sens prévaut (éviter les allées non éclairées le soir, ne pas porter sur soi de grosses sommes d'argent), la sécurité des touristes est aussi bonne que partout.

Douanes
Les ressortissants étrangers peuvent apporter jusqu'à un litre de boisson alcoolisée, 200 cigarettes, et la valeur de 100 dollars en cadeaux, hors taxes. Il n'y a pas de limite en ce qui concerne l'argent (américain ou étranger) apporté en Amérique, mais les passagers qui arrivent ou partent doivent déclarer toute somme supérieure à 10 000 dollars. Interdits : médicaments (sauf avec une prescription), viande crue, fruits, plantes.

Électricité
L'alimentaion électrique standard aux États-Unis est de 110 volts (60 cycles), alors qu'elle

est de 220 volts dans la plus grande partie de l'Europe, en Afrique et dans certaines régions d'Extrême-Orient. Les appareils électriques fonctionnant avec 220 volts qui ne sont pas prévus pour un double voltage devront être munis d'un transformateur. Pour éviter les accidents, on fera bien de s'en procurer un avant de partir, bien qu'il y en ait dans les magasins aux États-Unis. Les prises électriques sont différentes aussi, elles ont deux fiches plates parallèles, avec, en plus, une autre ronde plus haut pour les prises de terre. Pour les appareils venant d'ailleurs que des États-Unis, du Canada, d'Amérique du Sud, des Caraïbes et du Japon, un adaptateur (en plus du transformateur) sera nécessaire.

Étudiants et jeunes

Certains tour operators se spécialisent dans les voyages pour les jeunes et les programmes d'échanges culturels. La Floride possède de nombreuses auberges de jeunesse sur des sites comme l'Ocala National Forest et Disney World. Certaines attractions, musées et galeries ont des prix spéciaux pour les étudiants et il y a aussi des réductions sur certains voyages en train.

Heure locale

La Floride appartient à l'Eastern Standard Time, elle vit à cinq heures de moins que la Grande-Bretagne, 15 de moins que l'Australie (Sidney), 14 de moins que le Japon, 2 de moins que le Brésil (Rio de Janeiro).

Jours fériés

Le jour de l'an, l'anniversaire de Martin Luther King (19 janvier), le Memorial Day (dernier lundi de mai), le jour de l'Indépendance (4 juillet), le Labor Day (premier lundi de septembre), le jour de Colomb (second lundi d'octobre), le Veteran's Day (11 novembre), le Thanksgiving Day (quatrième jeudi de novembre) et Noël.

Lieux de culte

On trouve des églises de toutes les confessions dans les plus grandes villes. Se renseigner dans la presse locale ou à l'hôtel.

Location de voiture

Voir **Transports à l'intérieur** (sous-titre : voiture)

Location de voiture avec chauffeur

Facile à organiser mais plutôt cher. De nombreux hôtels et motels dans les zones touristiques fournissent un service gratuit en limousine pour les aéroports. Il existe aussi un service « public » de limousines pour les aéroports internationaux — ils assurent de petits trajets entre l'aéroport et l'hôtel, et le retour, meilleur marché qu'un taxi. Il ne faut pas confondre ces limousines d'aéroport avec les limousines privées plus luxueuses, à conduite intérieure. Il est possible de réserver des voitures avec chauffeurs avant de partir, par le biais des compagnies de location de voiture internationales.

Monnaie

En règle générale, les banques sont ouvertes de 9 h à 15 h du lundi au vendredi et sont fermées les week-ends et jours fériés, mais elles restent ouvertes plus longtemps dans certaines grandes villes ou régions touristiques. On peut changer des espèces dans les aéroports et certains hôtels offrent généralement cette possibilité, mais il vaut mieux avoir des traveller's chèques en dollars *(traveller's checks)*. L'avantage est qu'aux États-Unis, on peut souvent les utiliser comme des espèces. Les hôtels, les restaurants, les stations-service et les magasins les accepteront comme des espèces et rendront la monnaie si nécessaire. Pour cette raison, on conseille de prendre des chèques de 10 ou 20 dollars. L'unité monétaire américaine est bien sûr le dollar, et celui-ci se divise en 100 cents. Les pièces les plus courantes sont d'un cent (penny), de 5 cents (nickel), de 10 cents (dime) et de 25 cents (quarter). Des pièces d'un demi-dollar et d'un dollar pourront quelquefois apparaître dans la monnaie que l'on vous rendra. L'appoint est quelquefois exigé dans les transports publics et les téléphones. Les billets sont d'un, de 2, 5, 10, 20, 50 et 100 dollars. Mais attention : tous les billets, quelle que soit leur valeur, ont exactement la même couleur et la même taille. Les billets les plus pratiques sont ceux de 10 ou 20 dollars, avec quelques-uns d'un dollar pour les pourboires. Se souvenir que chaque État américain prélève une taxe sur certains items, dont le prix affiché ne tient pas forcément compte. Dans le cas de la Floride, cette taxe est ordinairement de 6 %. En plus, les comtés et les municipalités peuvent prélever leurs propres taxes. On peut bien sûr utiliser des cartes de crédit presque partout. Toutes les cartes importantes sont acceptées en Floride. Si on est à court d'argent, chercher dans les pages jaunes les bureaux de change ou aller à l'American Express. Pas de limite au montant d'argent que l'on peut apporter ou sortir des États-Unis (voir **Douanes**).

Numéros de téléphone d'urgence

Il n'y a pas de réseau d'urgence fédéral aux États-Unis. Mais on peut appeler des numéros d'urgence, et ils sont quelquefois indiqués dans les cabines publiques, mais ils varient d'un endroit à un autre. En Floride, pour une urgence, le mieux est d'appeler la police, qui mettra en contact avec le service compétent — composer le 911 dans les régions de Miami ou d'Orlando ; 223-1112 à Tampa. Sinon, la meilleure solution est d'appeler l'opératrice en composant le « 0 » pour obtenir la communication.

Offices de tourisme

Pour des informations générales sur la Floride, contacter :
Office of Visitor Inquiry
Florida Division of Tourism
126 Van Buren Street
Talahassee
Fl 32301. Tél. : (904) 487-1462

Ce centre gère des offices locaux de tourisme. On trouve ceux-ci au bord de l'US 231 à Campbellton, de l'US 301 à Hilliard, de l'I-75 près de Jennings, de l'I-10 à Pensacola, et de l'I-95 près de Yulee. Pour des renseignements plus spéciaux, s'adresser aux chambres de commerce des régions que l'on souhaite visiter.

Pannes de voiture
Voir **Automobiles clubs**

Pharmacies
On trouve les médicaments d'usage courant comme l'aspirine dans n'importe quelle pharmacie *(drugstore)*. Les comprimés qui contiennent de l'acétate d'aminophène correspondent à ceux qui contiennent du paracétamol dans d'autres pays. Les drugstores vendent aussi toutes sortes d'autres articles comme des magazines, de la papeterie, etc.

Poste
Les heures d'ouverture varient aussi bien dans les bureaux des grandes villes que dans les petites, le mieux est donc de vérifier à l'hôtel. On peut toutefois se procurer des timbres dans les hôtels, les motels, les drugstores et les gares, et aussi en mettant la monnaie exacte dans les distributeurs.

Pourboires
C'est une pratique courante aux États-Unis. La majorité des hôtels en Floride n'incluent pas le service dans leurs notes. On donne aux porteurs 50 cents par sac, aux chauffeurs de taxi 20 % de la course, aux

femmes de chambre 2 dollars par nuit, et, dans les restaurants et chez les coiffeurs, de 10 à 20 % de la note.

Presse
Miami/South Florida est un magazine mensuel que l'on peut se procurer dans les stands de journaux — certaines pages traitent des manifestations du mois dans la région. *See Orlando* est un magazine d'information mensuel gratuit sur les attractions de la ville, les zones commerçantes, les restaurants et les night-clubs. Des exemplaires sont distribués dans les hôtels et les motels de toute la ville.

Santé
On ne peut trop souligner à quel point il est essentiel de contracter une assistance médicale avant de partir car les services médicaux sont généralement d'une qualité excellente, mais les frais sont exorbitants. Les soins seront refusés en l'absence de preuves d'assurance ou de caution. Si l'on a besoin d'un médecin pendant le séjour, demander à l'hôtel ou consulter les pages jaunes de l'annuaire à la rubrique « Physician ». Voir aussi **Pharmacie** ci-dessous.
Aucune vaccination n'est nécessaire pour une visite en Floride, mais c'est une zone à risque pour la rage. L'eau courante est généralement considérée comme potable.

Sport et détente
La Floride est un État très sportif, aussi bien pour ceux qui pratiquent que pour les spec-

tateurs et le choix est suffisamment large pour convenir à tous les goûts. Parmi les sports favoris des spectateurs, on peut citer les courses automobiles à Daytona Beach, les courses de chevaux à Hialeah, le jai-alaï (pelote basque) à Miami, et le football. Les rodéos à Kissimmee, Homestead et Arcadia sont des événements à la dimension de l'État. Il y a de nombreuses pistes pour les courses de chiens dans tout l'État. En matière de pratique sportive, la Floride est spécialisée dans les sports nautiques. Avec d'immenses étendues d'eau et d'innombrables marinas, le bateau, sous toutes ses formes, fait partie du mode de vie, du canoë à la croisière. Le réseau de Floride pour les canoës, qui comprend 35 fleuves et cours d'eau, est ouvert à tous.

Une myriade de lacs et de rivières ainsi que l'océan assurent le bonheur des pêcheurs ; possibilités illimitées d'exploration sous-marine. De nombreuses zones touristiques proposent une gamme entière de sports nautiques avec location d'équipement, souvent des cours, ainsi que des installations pour d'autres sports. La randonnée est aussi une occupation très populaire, surtout le long des 1 600 km du Florida Trail.

Téléphones

Les téléphones se situent dans les halls des hôtels, les drugstores, les restaurants, les garages et les kiosques au bord des routes. On a besoin de l'appoint exact, sauf pour les appels d'urgence, où on appelle l'opérateur en composant le « 0 ». Aux États-Unis, un appel en PCV s'appelle *collect*. La Floride possède un système de connections automatiques. Il y a quatre régions téléphoniques, dont les codes sont 305, 831, 407 et 904. Pour appeler en longue distance à l'intérieur du même code, composer le 1, plus le numéro de téléphone. Pour obtenir l'international en automatique, composer 011, le code du pays, le code de la ville, puis le numéro de téléphone. Si l'on utilise le téléphone de sa chambre d'hôtel, il faut s'attendre à payer un supplément. Tarif réduit entre 17 et 23 heures, et encore moins cher entre 23 et 8 heures et les week-ends.

Toilettes

Les toilettes publiques (par exemple celles des stations-service) sont presque toujours très confortables. Elles sont appelées *Rest Rooms* et sont habituellement gratuites. Le nom familier pour les toilettes en Amérique est « john ».

Transports intérieurs

Voiture. Un permis de conduire valide suffit pour louer une voiture en Floride, mais un permis international est demandé aux visiteurs de certains pays. La plupart des agences de location demandent que le chauffeur ait au minimum 21 ans (avec Hertz, l'âge minimal est de 18 ans). La Floride, comme le reste des États-Unis, possède un réseau vaste et moderne de routes et d'autoroutes. Les super-autoroutes coûtent 2 ou 3 cents pour 1,6 km mais, avec l'essence à un dollar les 4,5 litres, elles sont abordables. La limite de vitesse nationale est de 88 à 105 km/h. Dans les grandes villes et les zones de grande circulation, toutefois, elle varie entre 32 et 64 km/h. Des panneaux indiquent les limites spécifiques et celles-ci sont strictes. On conduit à droite. Deux particularités dans la conduite américaine : un automobiliste est autorisé à tourner à droite à un feu rouge après s'être arrêté et la circulation est interrompue lorsque les enfants montent ou descendent d'un bus scolaire. Alamo Rent-a-Car est l'une des compagnies de location de voiture les plus populaires en Floride, mais d'autres grandes compagnies comme Avis, Budget, Hertz, Dollar et Thrifty possèdent de nombreuses agences dans tout le pays et les aéroports. Chacune offre ses propres inclusions et réductions, mais la location dans cet État est toujours moins chère que dans tout autre. En ce qui concerne le paiement, toutefois, il faut savoir que certaines compagnies n'acceptent **pas** les espèces — on aura besoin d'une des principales cartes de crédit. Les chauffeurs âgés de

La mer et le soleil font de la Floride l'État idéal pour les sports nautiques

moins de 25 ans peuvent se voir demander un supplément. Certains tours opérateurs proposent des formules vol + voiture, avec l'usage gratuit d'une voiture pendant une période donnée. Mais assurez-vous que la taille du véhicule offert correspond à la taille de votre famille et à la longueur du voyage que vous envisagez — une famille de quatre personnes ne sera pas à l'aise dans un « compact » et l'espace pour les bagages pourrait ne pas être suffisant. Si on projette de voyager en voiture, s'assurer que le kilométrage est illimité (les voitures louées en Floride par Alamo ne peuvent pas sortir de Floride et de Géorgie). On recommande vivement de fixer une clause d'abandon en cas de dommage lié à une collision ; sinon, en cas d'accident, des frais de réparation pouvant s'élever jusqu'à la valeur de la voiture sont exigibles, quelle que soit la responsabilité.

Enfin, la Floride possède les *lovebugs*, des insectes qui piquent ; pendant les jours d'automne et de printemps, ils infestent les radiateurs et les pare-brise. On recommande donc, pendant ces périodes, de ne conduire que tôt le matin ou tard l'après-midi à petite vitesse.

Bus. Les lignes de Greyhound relient les villes à l'intérieur de la Floride. Quelqu'un qui songe à faire un large usage de ce réseau devrait se procurer un Ameripass (seulement de l'étranger ; ils sont valables pour 7, 15 ou 30 jours — on peut choisir une durée illimitée au moment où l'on achète l'Améripass). Ils permettent de voyager sur tout le réseau Greyhound des États-Unis.

Les communes, et aussi les grandes villes comme Miami et Tampa, sont desservies par des réseaux de bus locaux. Miami possède en plus un système de métro aérien dans Miami-Downtown, et Tampa a son Metro Mover qui relie le quartier des affaires à Harbour Island.

Taxis. Il y en a beaucoup, et, sauf dans les zones des aéroports, ils fonctionnent avec un compteur. S'ils sont libres (lumière allumée), on peut les héler dans la rue ; on peut aussi les appeler par téléphone ou les prendre aux stations en ville et près des grands hôtels. Les taxis prennent une taxe de base fixe, plus les frais liés à la distance.

Chemin de fer. Liaisons interurbaines par l'America's National Railroad Corporation, l'AMTRAC. On peut se procurer à l'étranger et avant le départ un Pass spécial de 45 dollars pour 45 jours de voyage illimité à l'intérieur de l'État, 22,50 dollars pour les enfants de 2 à 11 ans. Un passeport valide est demandé lors de l'achat.

Troisième âge

La Floride attire probablement plus de personnes âgées que n'importe quel autre État, et, bien que les réductions pour le troisième âge soient fréquentes, elles ne sont pas toujours clairement affichées. La meilleure formule est tout simplement de demander s'il existe une réduction pour certains services ou séjours.

128

INDEX